OMUPユニヴァテキストシリーズ ❾

情報技術と企業活動

渡邊 真治

目 次

第1章
はじめに

1-1　本書のテーマ

情報技術は企業の競争優位，持続的発展の源泉になるのでしょうか．企業活動は様々な**ステークホルダー**（利害関係者：消費者，従業員，株主，債権者，仕入先，得意先，地域社会，行政機関など）の影響を受けています．情報技術は企業関係，市場（消費者），企業立地，経営改革（従業員，経営者）などに影響を与えています．しかし，その影響を正しく評価できなければ，**PDCA**（Plan：計画，Do：実行，Check：評価，Action：調整）サイクルを回して軌道修正することはできません．本書の特徴は，主に経済学・経営学・情報学に基づいたシステム評価の視点から情報技術と企業活動の関係を説明している点です．

1-2　知識・情報とは

まず，データと情報と知識の違いについて確認しておきましょう．**データ**（data）は生の事実材料のことを指します．ビッグデータは関連付けがされていない大量のデータのことを指しています．それに対して，**情報**（information）は文脈的意味をもった解釈・評価されたメッセージであり，判断や行動に影響を与えるものです．受け手側の判断によって情報であるかどうか決まってきます．つまり，ビッグデータの中でもその人にとっては情報であるものが存在しているということです．そして，**知識**（knowledge）とは情報の中から一般性・普遍性があると評価されて蓄積されたルーチンやプログラムのことを言います．また，知識を，**暗黙知**と**形式知**に分類することがあります．**暗黙知**は，文書やファイルに形式的・明示的に貯蔵できないものを指しています．それに対して，**形式知**は明示的・形式的に貯蔵できるものを指しています．

情報技術（IT: Information Technology）は，コンピューターやネットワークといった情報処理関連の技術の総称のことを指しています．

1－3　評価の重要性

ビジネスにおける意思決定とは，ビジネス目標達成に向けて複数の選択肢の中から最適なものを選ぶ行為（情報システムの選択など）を指します．**意思決定**とは行動に先立って行われる行動の選択です．意思決定を行うためには，**目標，代替選択肢の集合，各代替選択肢の期待される結果の集合，各結果がもたらす効用（満足）の集合，意思決定ルール**が必要です．Simon（1983）は，「問題→情報収集（価値前提，事実前提）→代替案の列挙→代替案の結果の推定と**評価**→代替案の選択→行動→修正」という流れで問題解決のための意思決定のサイクルを示しました．情報収集の前提には，価値前提と事実前提があります．**価値前提**に基づく情報とは，組織目的，公平の基準，個人的価値などの**目的**に関する情報です．目的や人それぞれの価値観によって変わるので**主観的**で検証不能です．**事実前提**に基づく情報は，技術，情報等の目的達成のために選択する**手段**についての情報です．価値前提とは対象的に，**客観的**，検証可能です．そのため，**価値前提**（価値観）の違いは意思決定に大きな影響を与えます．

経済・経営課題に対する意思決定を行う人は，経済人と経営人に分けることができます．**経済人モデル**では，すべての代替案の中から最大の期待効用の選択肢を選択する合理的な**最適化意思決定**を前提に考えます（**完全評価**）．一方，**経営人モデル**では，部分的な代替案の中から満足化基準に基づいて選択する**満足化意思決定**を前提に考えます（**不**

完全評価）．経済人モデルを非現実と感じる人もいるかも知れませんが，経済人モデルは最適な状況を一つの基準と考えています．現状がその基準から離れている場合にどのような政策でその状況を改善できるかを分析します．経済学の分野でも，**行動経済学**のように人の不合理を前提とした研究が増えています[1)]．

Ansoffは意思決定をステークホルダーの階層ごとに分けました．(1)外部環境変化に対応するために経営者（トップマネジメント）が**経営戦略（IT戦略）**を策定する**戦略的意思決定**と(2)企業の資源を組織化する中間管理職（ミドルマネジメント）が行う意思決定（**組織構造と経営資源（情報システム）の調達・開発**）である**管理的意思決定**と(3)資源変換プロセスの能率を最大にする現場の管理者（ロワーマネジメント）が**資源の配分と変換**を決定する**業務的意思決定**です．このように，立場が違うと評価の対象が変わってきます．

また，評価に対する信用性も考える必要があります．まず，**評価者**に対する信用性は，評価者が評価できる技能を持っているかを意味します．例えば，ITコンサルタント，ITストラテジスト，システム監査技術者のような一定の技能を持った評価者に評価を依頼することが考えられます．また，**評価方法**に対する信用性は，評価対象に対して適切かつ十分な方法で評価しているかを意味します．システムのステークホルダーが納得できる評価方法にする必要があります．ただし，現状では，情報システムの評価方法が確立されているとは言い難い状況にあります．それはなぜか，後の章で説明します．

後で詳しく説明しますが，情報システムの評価には，意思決定論，心理学，システム工学，リスク工学，経営工学，経営情報論，情報経済論などのさまざまな知見（総合知）を取り入れる必要があります．

1）意思決定におけるノイズ（判断のばらつき），バイアス（先入観や偏見）については，Kahneman（2011, 2021）を参考にしてください．

1-4　学習の仕方

経営戦略・IT 戦略に関する基礎知識をもとに，ビジネスモデルや企業活動における特定のプロセスを改革・高度化・最適化する能力を身につけてください．この本は，情報技術をキーワードに，自然科学，社会科学，人文学の視点から，持続的な企業活動を行うための基礎となる知識と思考法を身につけることを目的としています．ページ数の制限から，詳しく説明していない内容は，参考文献をご覧ください．参考文献は，可能な限り最新版を使用しています．

本書の内容を基礎知識として，様々な業界の情報システムに当てはめて考えてください．大阪公立大学・現代システム科学域・知識情報システム学類の授業科目「情報技術と企業活動」では，本書の内容を前提に，多くの業界を事例として分析しています．今まで取り上げた主な業界（情報技術）は，情報サービス業（RPA，IoT，AI，クラウド），金融業（システム統合，ブロックチェーン），コンビニエンスストア業（需要予測），自動車業（製造システム，MaaS，自動運転），通信業（5Gモバイル通信），電子商取引（EC）業（プラットフォーム），製薬業（AI 創薬）などです．説明の流れは，業界の特徴，財務情報，ビジネスモデル，情報システムを用いた競争優位（理論的裏付け），今後の課題などです．

本書の作成に当たり，多くの方々の協力を得ています．特に，私の開講する授業でゲストスピーカーとして登壇頂いた，濱田真輔（現・大阪経済大学），小佐野豪績（現・日野自動車），仙波真二（現・近畿大学），坂東大輔（エンジニアリングサムライ），松本進（三菱総合研究所）の各氏に感謝いたします．また，本書の中には私が中小企業診断士・技術士として行ってきたコンサルティングの成果も加味されています．社名は公表できませんが，ご協力に感謝いたします．

第2章
情報化のマクロ効果

2-1　はじめに

この章で情報システムの経済・経営効果を説明する前に，日本経済のおさらいをしたいと思います．

日本は戦後の復興時期に，1ドル＝360円という固定相場によって，輸出をバネに高度成長を体験しました．しかし，アメリカの双子の赤字（財政赤字・貿易赤字）を解消するために，1985年に**プラザ合意**が行われ，急激な円高を体験することになります．円高による輸出減に対する景気対策として，金融緩和（低金利）が行われ，借りやすくなった資金が，土地や株に流れてバブルが発生しました．あまりにも地価が上がったため，不動産融資を規制する**総量規制と公定歩合（金利）の引き上げ**を行い，1991年にバブルが崩壊しました．それ以降，長期の景気の低迷を経験しています．政府は様々な景気刺激策を行いますが，消費税の導入・税率アップによって景気が低迷し，巨額の財政赤字を抱えるようになっています．2022年度末の債務残高は1,122兆円の規模に達しています．そのため，政府は財政支出を積極的に行わなくなってます．物価上昇率を2％にすることを目標にゼロ金利などの金融緩和策が取られてきましたが，日米の金利差が開きすぎたため，米国で資金を運用するほうが得になり，急激な円安が進み，輸入物価が上昇しました．

バブルの崩壊は1991年になりますが，日本の情報化の遅れにもこの1990年代の景気が大きく影響しています．バブル崩壊は，企業の債務（銀行にとっては不良債権）を増やし，債務を減らすために，設備投

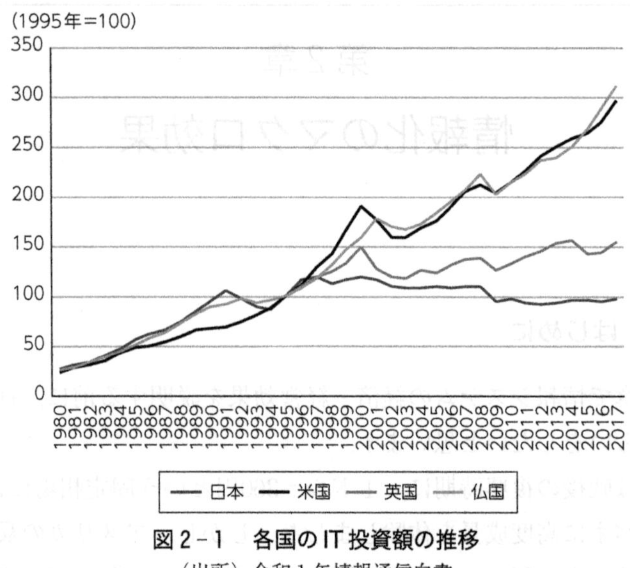

図 2－1　各国のIT投資額の推移

（出所）令和１年情報通信白書

資，特に新規の情報投資が抑制されました．設備投資とは，新たな工場の建設や機械の導入など，新しいプロジェクトを開始するために未来を見据えて資金を投じることを指します．

図２－１は，1995年＝100とした各国のIT投資額の推移を示しています．米国，仏国は1990年以前と同じトレンドで伸びていますが，日本は1990年以降横ばいで，2010年代は1995年と同レベルです．また，総務省の2014年の調査では，設備投資に占めるIT投資の割合は1990年と比べて2000年代は２倍になっていることから，設備投資全体が伸び悩み，そのため，その中でのIT投資の割合が増えても，他国と比べて不十分であったことがわかります．また，財政赤字のため，教育に関する国の予算である文教費の削減が続いています．教育投資・設備投資が低迷することによって，技術革新が低迷しています．

2-2　産業革命

産業革命は18世紀頃に始まり，現在も世界規模で続いている革命です．産業革命は現在四次まで進んでいると考えられています．

第一次産業革命はイギリスから始まった蒸気機関などの技術革新です．続く，**第二次産業革命**は石油を資源とした化学工業や鉄鋼などの重工業などの技術革新です．機械化により大量生産が可能になりました．日本はジャパンアズナンバーワンと言われて高品質の製造業が世界的に評価されました．**第三次産業革命**は情報技術による技術革新です．日本は他国と比べて投資額が少ないことに加えて，規制や文化的要因によって，情報化が遅れ競争力が低下しています．**第四次産業革命**は，人工知能・機械学習・ロボティクス・遺伝子工学・バイオ技術などが結びついた高度な知的活動を中心とした社会を実現する技術革新です[2)]．

第三次産業革命，つまり**情報革命**によって，世界の国々が成長する中，日本だけが1990年以降，低成長でした．低成長で物価が上がらず，賃金も増えていません．確かに，日本の情報投資の額は経済規模と比べて小さいですが，情報化に成功している国では，必ずしも大きな額の情報投資を行っているわけではありません．

では，なぜ情報化が進んでいないのでしょうか．それは作る側（ベンダー）が使う側（ユーザー企業）の真に必要なシステムを把握できていないため，使う側にとって利便性が低い，メリットが感じられないシステムになっていることが原因の一つと考えられます．

また，総務省（2021b）の調査によると，コロナ禍でもデジタル化が定着しない理由として，対面のほうが向いている，従来からの価値観からの転換が困難，機器等のコスト負担，個人情報・情報セキュリテ

2）ソサエティー5.0は，ヨーロッパからでてきた話ですが，サイバー空間・仮想空間とフィジカル空間・現実空間を高度に融合させたシステムによって，経済発展と社会的課題の解決を両立する人間中心の社会を指しています．

ィを挙げています．矢野（2018）は，「日本は他国に比べて職場依存度が高いので職場にITが導入された90年代以降日本の生産性は低下した」と発言しています．つまり，人と人との関係で仕事をしてきた環境に情報システムを導入しても効率的に活用できないので，生産性の向上に寄与していないのではないかと言うことです．

このように，情報システムの利活用が進まない理由として，8章で説明するユーザビリティの問題，9章で説明する組織文化の問題が考えられます．

2-3　経済指標に基づく情報化の効果

ここで，経済全体での情報化の効果を統計的に見てみましょう．経済の規模は**国内総生産**（Gross Domestic Products）を用いて判断します．国内総生産はその国の中で作られた付加価値の合計です．材料を仕入れてものを作って販売した場合，その売れた金額から材料費を引いた部分が新しく作られた付加価値になります．この付加価値を国全体で合計したものがGDPになります．

経済学では，GDPを**アウトプット**（算出）とした**生産関数**を想定して推計を行います．**インプット**（投入）には，資本ストックと労働を用います．**資本ストック**は企業が生産活動に投入する設備や機械などの総量を指します．財産として見た場合，資本ストックは資産と表現します．将来の生産や収益に寄与する投資は資本ストックの増加分のことを指します．この投資を**IT投資**とIT以外の一般投資に分けて分析を行います．

経済成長率への寄与は以下のように分解することができます．**経済成長率**とは今期のGDPから前期のGDPを引いて前期のGDPで割って比率にしたものです．今期のGDPが前期のGDPよりも大きい場合は，分子が正になり，プラスの成長率になります．**全要素生産性**（TFP: Total Factor Productivity）とは原材料を含めた全ての生産要素を考慮した生産性指標で，その変化率には資本や労働などの変化で表せない要因，例えば，**技術革新**が含まれます．

成長率＝TFP成長率＋資本投入量の上昇率×資本分配率
＋労働の質×労働量投入量の上昇率×労働分配率

表２－１は総務省が委託して行った物価を調整した実質値での分析結果です．成長率には労働からTFPまでの値が寄与しています．そのため，それらの値を足したものが成長率になります．期間を通して，日本の成長率は米国よりも低く，資本とTFPの寄与も日本のほうが小さいことがわかります．TFPには無形資産が大きく影響することがわかっています．

TFPに影響する無形資産の増加（投資）は，研究開発や組織変革，労働者の教育訓練などと考えることができます．GDP統計では，このような支出の大半は投資ではなく中間投入と見なされ，資本投入増加の寄与として計上されず，TFP上昇の中に現れます．

深尾（2007）の推計結果から，日本の無形資産投資の対GDP比率は活発な企業の研究開発を反映して1990年代半ばまでは米国に引けをとらない水準でしたが，それ以降は格差が急拡大していることが判明しています．特に，**組織変革**や**教育訓練**の面で，アメリカに比べて日本の支出が少ないことがわかっています．それに対して，有形資産投資

表２－１　日米の成長会計分析

(%)

米国	'99-'00	'01-'05	'06-'10	'11-'15
成長率	3.75	2.18	0.55	1.55
労働	0.65	−0.10	−0.46	0.67
労働の質	−0.03	0.23	0.23	0.15
ICT資本	0.74	0.29	0.22	0.14
一般資本	1.00	0.89	0.34	0.45
TFP	1.38	0.87	0.21	0.14

(%)

日本	'96-'00	'01-'05	'06-'10	'11-'15
成長率	1.12	1.18	0.15	1.02
労働	−0.65	−0.31	−0.30	−0.01
労働の質	0.47	0.50	0.27	0.49
ICT資本	0.31	0.29	0.12	0.07
一般資本	0.91	0.32	0.01	0.02
TFP	0.07	0.38	0.05	0.44

（出典）総務省「我が国のICTの現状に関する調査研究」（平成30年）

の対GDP比率については，日本は米国の2倍近い水準にあります．つまり，アメリカは急激に無形資産投資にシフトしていますが，日本は変わらず有形資産にしがみついていたことがわかります．しかし，その有形資産は成長率に寄与しなくなっています．

物価で調整してない**名目GDP**を就業者数（もしくは就業者数×労働時間）で割ったもを**労働生産性**と言います．日本の労働生産性は1990年代半ば以降，主要先進国7カ国中で最も低く，OECD平均よりも低い値になっています[3)]．この原因として，日本の物価がこの期間ほとんど上がらなかったことが大きいのですが，実質経済成長率が低いことも影響しています．ノルウェー，デンマーク，スウェーデン，フィンランドなどは日本よりも高い労働生産性を示しています．深尾（2007）の分析結果にあったように，日本ではICT資産投資/有形資産投資が低く組織変革などの無形資産への投資が少ないことが低い経済成長率の原因となり，そのことが低い労働生産性として現れています．

このことはIMDの**国際競争力ランキング**にも現れています．国際競争力というのは世界で国と国が競争した場合に競争力があるかどうかを表したランキングになります．アメリカは常にランキングが上位です．日本は1991, 92年までは世界の中で最も高い競争力を示しましたが，1997年の段階で順位が大幅に下がりそれ以降上下しています．日本は，ビジネス効率性（2019年46位⇒2023年47位）や政府効率性（2019年38位⇒2023年43位）が低いことが原因で順位が低迷しています[4)]．

また，**ネットワーク成熟度指数ランキング**はネットワークを介して

3）日本の労働生産性はアメリカよりも30％程度低い値を示しています．日本の生産性成長率の要因分解を行ったFukao & Kwon（2006）では，1994-2001年の間，市場からの退出効果がマイナスになっており，生産性の低い企業が退出していないことがわかります．1990年以降，銀行による金利減免によって延命している**ゾンビ企業**が急増しており，日本の労働生産が低い要因となっています．

4）IMDはデジタルランキングも公開しています．2023年のランキングを詳しく見ると，国際経験，デジタルスキル，移民，**企業の俊敏性**，ビッグデータ分析が60位台になっています．また，外国籍の知識労働者，政府の教育支出割合，女性研究者，スマートホン所持率は50位台になっています．調査国は64カ国です．

競争する準備ができているかを表す指標になります．フィンランド，シンガポール，スウェーデン，オランダなどが上位を占めています．これらの国は経済規模は小さいですが，そのことが均一なITを用いて高い競争力をもたらしている可能性があります．

経済の規模に対して企業が十分にIT投資ができていないことは，**収益に対するIT投資の割合**からもわかります．収益というのは企業に入ってくるお金ですから売上と読み替えてもらっても構いません．企業IT動向調査報では，2014年の全回答企業の上下の一定割合を除いて計算したトリム平均値が0.72％，2019年は1.28％，2022年度は1.24％と，平均的な日本企業のIT予算は売上の１％程度であるということが報告されています．ただし，金融・保険だけは，2014年4.57％，2019年は8.16％，2022年度は8.69％と高い割合になっています．つまり，多くの産業で，企業の売上規模に対するIT支出額が少ないことがわかります[5)]．

2-4　IT先進国とは

先ほどのランキングで上位に入っていたノルウェー，デンマーク，スウェーデン，フィンランド，シンガポールはIT先進国と言われています．また，エストニア，韓国，デンマークは電子政府先進国と言われています．IT先進国とは，情報技術の発展度が高く，デジタル化が進んでいる国々のことを指しています．これらの国々では，ITインフラの整備，デジタル技術の利用，IT人材の育成などが積極的に行われています．

例えば，シンガポールは東京都と大体同じぐらいの大きさで人口は600万人程度です．2019年の一人当たりのGDPを計算すると日本の２倍以上になります．この国はマレー半島の先端の国ですので，資源の

5）米国に拠点を置く企業を対象に行ったAileanの2020年調査によると，中小企業は収益の約6.9％，中堅企業は約4.1％，大企業は収益の約3.2％をITに費やしていることが報告されています．

ない国家です．農業から金融・ITへとシフトすることで成長してきました．戦後の日本の復興を手本にした時期もありました．しかし，シンガポールは日本とは違って国家予算の多くを教育に当てています．この国はさまざまなAI技術の実験場となっています．

また，廉（2009）で示されているように，韓国は**電子政府先進国**です．2002年の電子政府法の施行以降，情報システムを中央政府が管理し同じソフトウェアを地方自治体で利用する形を取っています[6)]．情報共有が進んでいる韓国では，引越しの手続きはワンストップできます．日本も行政の効率化をめざしてマイナンバーを2015年に導入しましたが，すべての手続きがワンストップで完結する体制になっていません．

日本政府は2013年6月に**世界最先端IT国家創造宣言**を出しました．それまで日本政府が行ってきたIT戦略は，IT利活用を強調しつつもIT化・IT活用という名目だけで利用者ニーズを充分把握せず，組織を超えた業務改革を行っていませんでした．そのため，ITの利便性や効率性が発揮できていませんでした．今後，利活用を考えたIT戦略にすると宣言内で謳っていますが，果たして現状ではどうでしょうか．2021年に**デジタル庁**が創設され，韓国のような政府共通のシステムをクラウド上に構築する**ガバメントクラウド**を2026年3月末までに各府省だけではなく各市町村まで共通化する予定です．政府の変革のスピードは韓国の20年遅れだと言えます．

2－5　情報共有の意識に関する国際比較

情報化により生成されたデジタルデータは，情報共有のプロセスを通じて組織全体で利活用できるようになります．そのため，情報化と

6）現在，日本は自治体単位でシステムを構築し，自治体ごとに運用コストがかかる体制をとっています．今まで国は，自治体のシステム構築を自治体の自主性に任せるという立場を取っていました．しかし，同じ形態の業務を行っているのにバラバラのシステムを構築することは無駄でしかありません．規格がバラバラであることが情報共有を難しくしています．

情報共有は，組織の効率性と生産性を向上させるために，切り離して考えることはできません．情報共有が進まないと，情報化は効果を持ちません．情報共有に対する意識は国によって差があるのでしょうか．

総務省（2013）は個人情報提供に関する国際比較調査を行っています．日本は他国に比して，役職，会社名，行動履歴，位置情報は公開したくないという傾向があります．アメリカ，イギリス，シンガポールなどは抵抗があまりありません．フランスは日本に近いことがわかります．韓国は行動履歴，位置情報に関して，フランスや日本ほどではないですが抵抗があります．しかし，新型コロナウイルス対策では行動履歴情報がうまく活用されています．次に，思考・信条・宗教・性癖・組合加入・病歴病状などの人に知られたくないタイプのデータについてもアメリカはあまり抵抗がないということが分かっています．総務省（2021b）の調査でも，住所，連絡先や位置情報・行動履歴の提供には米国・ドイツ・中国と比べて，日本は不安を感じている割合が大きいようです．パーソナルデータの提供意向についても，中国と比べるとすべての項目で低い値になっています．このように日本は情報提供に強い不安感を持っており，情報化の効果を上げるために必要な情報共有に消極的であることがわかります．

総務省（2021b）の調査によると，日本人がインターネットを利用する際に最も不安を感じることの一つが「個人情報やインターネット利用履歴の漏洩」で，その割合は91.6%と非常に高い値を示しています．また，デジタル化が進んでいない理由としても，「情報セキュリティやプライバシー漏洩への不安」が52.2%と最も多く，次いで，「利用する人のリテラシー（活用能力）が不足しているから」が44.2%となっています．情報リテラシーの不足が情報漏洩の不安を掻き立てていると言えます[7)]．情報リテラシーの強化が喫緊の課題であることは確かです．

7) 日本人は他の国の人々と比べて不安を感じやすいと言われています．前野（2020）で示されていように，日本人の65%が持っている不安遺伝子や他者の評価を気にする傾向が強いことが影響していると考えられます．

第3章
情報化のミクロ効果

3-1　はじめに

本章はミクロレベルつまり企業レベルの話をしたいと思います.

JEITA (2013) は，日米の企業戦略を担う経営層や事業部門等の非IT部門の責任者に情報システム投資の重要性についてアンケートを行っています．情報システム投資が極めて重要であると回答した割合は，日本は約16%ですが，米国では約75%でした.

野村総合研究所が2003年から売上高上位企業の最高情報責任者に実施している調査によれば，2018年以降，「IT投資を増加する」と答えた割合が「ほぼ同額」と答えた割合を上回り，特に2022年以降では増加と答えた割合が急速に高まっていることがわかります．この傾向は，経済産業省が2019年にレガシーシステム（古いシステム）の弊害を訴えた2025年の崖が影響していると考えられます．デジタルによる変革（DX）を推進するためにはレガシーシステムの排除と新たなIT投資が必要です．デジタルによる変革については9章で詳しく説明しますが，日本企業の多くは米国企業と比べてその効果を十分には享受していません.

日本企業は既存の組織体制やビジネスモデルに囚われる中，付加価値を増やすような攻めの経営にITを活用することに消極的であることがわかります[8)]．一方，アメリカでは機関投資家の台頭などから，経営

8）平成26年の総務省の調査では，IT投資の目的のうち，コスト削減効果の方が売上向上効果よりも大きく，目標達成率もコスト削減効果の方が大きくなっています.

者は株主の利益を最大化するようにIT投資を通じて株主価値を最大化することを重視しており，その結果としてIT投資の効果がより大きくなっています．

それでは，IT投資の効果が出ている企業はどのようなタイプでしょうか．本章はIT投資の効果が出やすいミクロ要因について説明します．

3－2　ITと企業組織

ITをいかに企業のパフォーマンス向上，つまり生産性向上に生かすことができるのかを考えます．つまり，ITを用いて**労働生産性**（付加価値／労働量）を上げることです．労働生産性を上げるとは，ITを用いて付加価値を増やすこと（生産性向上），またはITを用いて同じ付加価値を生むのに必要な労働量を減らすこと（費用削減），またはそれらを同時に行うことを意味します．

Bresnahanら（2002）は，ITに合わせて企業組織，人材育成などの**HRM（人的資源管理）**を変えなければ成果が上がらないことを統計分析で明らかにしました．具体的には，**インタンジブル（無形）資産**を形成し，権限をなるべく下部に委譲してフラットな組織構築を目指せばIT効果は期待できるということです．組織の分権度を高めておかないと，株式市場で評価した企業価値へのIT投資の効果は限定的になり，場合によっては逆効果であることが判明しました．

Brynjolfsson（2004）では，IT投資が効果を持つためには，IT関連投資のうち，10％のIT投資（ハード，ソフト，ネットワークなど），15％の技術**補完財**（ソフトの教育訓練や新しいビジネスプロセスの開発などのIT投資と関連する投資），そして75％の**組織資産**（**人的資本**［従業員の知識やスキルなど］や**ビジネスプロセス**［業務の進め方や手順］や**組織文化**［価値観や行動規範］）が必要であることを示しています．つまり，IT投資が成功するためには，単に最新の技術を導入するだけでなく，それを活用するための人材育成や組織文化の改革を含む，全社的な組織改革が必要になります．

Brynjolfsson (2004) はIT投資の効果が出る**デジタル組織**には，①デジタル業務プロセスへの移行，②意思決定責任と決定権の分散，③社内情報アクセスとコミュニケーションの促進（情報共有），④報酬を個人の業績にリンクさせる，⑤事業目的を絞込み組織の目標を共有，⑥最高の人材を採用，⑦人的資本（社員教育・研修）に投資する，ことが重要であると説明しています．

また，Mendelson (2000) は，組織内外にある情報を取り入れて組織内部で情報を共有し，実行可能な意思決定を行う能力である**組織IQ**という指標を開発しました．具体的には，以下の5つの組織特性に関する複数の質問の回答を総合して定量化します．

①**外部情報認識**：顧客との接触頻度，競合企業や技術情報の入手

②**内部知識流通**：競合企業や市場情報の流通，横断的チームの導入

③**意思決定アーキテクチャ**：権限委譲（フラット組織），情報の社内流通

④**組織のフォーカス**：開発プロセス，業務目標，評価基準の明確化

⑤**目標化された知識創造的活動やアイディアの実現**

この指標の項目と先ほどのBrynjolfsson (2004) のデジタル組織の項目には共通するものが多くあります．平野（2007）の分析では，日本では組織IQ（組織能力）が高い企業ほど，IT投資が企業業績に与える影響は大きく，組織IQ（組織能力）が低い企業はIT投資を増やしても効果は薄いことがわかっています．

元橋（2008）はこれらの研究を前提に，日米企業を比較しました．業務内容や必要なスキルなどを記述した**職務記述書（ジョブディスクリプション）**と**権限**について，アメリカは明確ですが，日本は明確で

はありません．このことは，日本にとってビジネスプロセスの改善を困難にしています．また，**意思決定過程**は，アメリカはトップダウンで，日本はボトムアップになっています．日本の場合，単なる上意下達でなく，中間管理職が上下の間を取り持つことでより効率的な意思決定を行っており，トップが指示を出しても部下が従うとは限りません．このことは，ITシステムを分断化しやすくなります．**知識創造過程**では，アメリカは**形式知**を上手に活用する一方，日本は**暗黙知**の活用が一般的です．近年，一企業だけで問題解決できる状況にはなく，非常に情報量が増えてスピードが速くなり，プレーヤーも増えて複雑化しています．そのため，形式知をITを使って整理していくことが重要になっています．このように，日本的な組織はIT機能の有効性を低下させやすいと言えます．

3－3　ITと雇用

Brynjolfsson & McAfee (2011) では，生産性と雇用の関係の分析から，技術の進化が人間から職を奪っていることがわかりました．実際に，コンピュータより人間がまさっているのは，**肉体労働，問題解決能力**です．そのため，**スキル偏重型技術革新**（SBTC）によって，スキルの高い労働者に対する相対需要が増加し，そうでない労働者との間で賃金格差が開いています．定形業務の労働を減らし，データに基づく推論を必要とする職種を増やしていく必要が指摘されています．今後，STEM（科学，技術，工学，数学）ではなく，アートを含んだSTEAM教育の重要性が指摘されています．

Frey & Osborne (2013) は，社会的知性（交渉スキル，説得力，リーダーシップなど），創造性（オリジナルのコンテンツ作成能力，新しい問題解決策の発見能力など），知覚と操作（精密な物理的作業を行う能力，不確定な物理的環境で作業を行う能力など）の３点から702業種のコンピュータによる仕事の代替可能性を求めました．同様の分析が日本でもアメリカの分析を行った研究者の協力を得て野村総合研究所で行われました．具体的には，職業の特徴を10個選択し，職種601の中から確実に自動化される職業とされない職業を選択し，その情報を教師信号として機械学習させました．学習によって得られた重み付けを職業の特徴にかけて，自動化させる割合を求めています．その結果，49％の日本の労働力は技術的に自動化で対応できると結論づけました（英国35％，米国47％）．

ただし，これらの結果は，機械学習によって技術面での代替可能性を示しただけで，人の判断が入っていません．例えば，自動化技術の導入費用と人件費の比較，自動化技術が顧客や社会に受け入れられるか，自動技術によるミスの可能性に対する事業者としての判断，自動化と法令との整合性などを考慮すると，代替可能性が変化するはずです．

2016年にスイス・ダボスで開催された第46回世界経済フォーラムの年次総会（**ダボス会議**）では「第四次産業革命の理解」が主要テーマとして話し合われました．テクノロジーの進化は，2015-2020年の間にホワイトカラーを中心とした710万人の雇用減とコンピュータ，数学，アーキテクチャ・エンジニアの200万人の雇用増をもたらすことが予測されました．今後，「データ分析」（膨大なデータからの洞察）と「専門性の高いセールス」（商品化を進め，新しい価値を新しい顧客に説明するスキル）が必要になることが示されました．情報格差を解消するための若年層向け教育などの人材の観点，先端技術の透明性を高める取組など環境面に対する指摘がありました．

2022年に簡単な指示でテキストや画像を生成できる**生成AI**が広く知られるようになりました．ただし，現状ではコーパス（文章を構造化し大規模に集積したもの）上に偽りがあるとそれをそのまま表現してしまう恐れがあります．また，生成AIで使われる**大規模言語モデル**（LLM）は一部の企業に独占される恐れがあります．中でも，ChatGPTはまるで人間が書いたかのような自然な文章を作成でき，リポートや論文なども簡単に作成できてしまうことから，教育現場への影響を懸念する声があります．また，ChatGPTに道徳的な質問をした際の回答例が，道徳上のジレンマに対する人間の反応に影響を与えるとした研究結果が報告されています．

さらに，ChatGPTなどのAIが人々の仕事にどんな影響を与えるのか，研究結果が公表されています．Eloundouら（2023）は米1016の職業ごとにタスクを決定し，GPTへの直接アクセスないしGPTを利用した二次的なアクセスによって特定タスクを行うのに必要な時間が，人間が行うよりも少なくとも50％短縮可能かどうかを分析しました．分析の結果，米国労働力の約80％が，LLMの導入により仕事のタスクの少なくとも10％に影響を受ける可能性があることが明らかになりました．高所得の仕事はLLMによって大きな影響を受ける可能性があることも指摘されています．また，スキルとChatGPTの影響力との関係を回帰分析した結果，**ライティング力**，**プログラミング力**はChatGPTの影響を受けやすいことがわかっています．

Melinaら（2024）は，世界の雇用の約40％がAIにさらされており，認知が重視される仕事が普及している先進国は，新興国や発展途上国よりも大きなリスクにさらされていると分析しています．大学教育を受けた人はAIの利点を享受できる可能性が高い一方，年配の労働者には影響が大きいと見ています．また，高所得労働者がAIを使いこなせる場合，その他の労働との間で所得の不平等が拡大することを指摘しています．ただし，AIによる生産性の向上が十分に大きければ，ほとんどの労働者の所得水準が上昇する可能性もあります．

AIは誰でも利用できる時代になってきています．技術力だけではなく，AIを用いた企画ができる（AIで何をするか考える）人材が必要になっています．エンジニアは技術に精通していますが，利用者を理解することは得意ではありません．エンジニアと利用者の間を取り持つ人材が必要で，企業の中でその責任者はDXを推進するCDO（Chief Digital Officer）になります．

第4章
情報と組織

4-1　はじめに

組織と情報は密接に関連しています．組織は，情報を効率的かつ効果的に活用するためのシステムであり，情報技術はその一部として位置づけられます．組織における情報の活用は，業務効率化，意思決定の支援，リスク管理，知識管理など多岐にわたります．情報技術の進歩は，組織の情報活動を劇的に変化させ，組織の運営やマネジメントに大きな影響を与えています．

また，組織が扱う財が配信サービスやソースコードのような財産価値を持つ情報財であった場合，情報財は非情報財と違った性質を持っているため，その財を効果的に管理し，競争優位を得るようにすることが重要になります．組織は情報財を最大限に活用するための戦略を開発する必要があります．これには，情報の透明性を確保して利用者の信頼を得ることと，情報の共有を促進するためのシステムとプロセスの開発も含まれます．

本章では，情報に関連のある情報の非対称性，情報財，ロックイン，情報化と組織の関係について取り上げます．これらはのちの章でも取り上げられる内容ですので，この章でしっかりと理解してください．

4-2　情報の非対称性

情報の非対称性とは，一方が他方よりも多くの情報を保持したり，またはより良い情報を持っている取引における意思決定やその不均等な情報構造のことを指しています．

財やサービスの品質が買い手にとって未知であるために，不良品ばかりが出回ってしまう市場のことを**レモン市場**と言います．その場合，買い手は疑心暗鬼になって市場は機能しなくなります．

情報の非対称性への対応策として以下のものがあります．まず，**シグナリング**とは情報の多い側が品質を表示する行動です．ブランドや標準化（フランチャイズ）は品質を保証することになり，利用者が品質を知ることができます．また，資格（学歴）はその人の計画実行能力を保証することになります．それに対して，**スクリーニング**とは情報の少ない側が相手に品質を表明させる行動になります．非喫煙者やゴールド免許保持者は保険金を支払う確率が低いのでそれを事前に申告することによって保険料を割り引くことができます．

情報技術は，価格**情報の不完全性**や品質**情報の非対称性**の解決に寄与します．例えば，カカクコムのような価格比較サイトや実店舗で価格を確認する**ショールーミング**は価格情報の不完全性を改善します．また，物品の流通経路を生産段階から最終消費段階あるいは廃棄段階まで追跡する**トレーサビリティ**を完備すれば，その物品の品質について生産者と顧客の間の**情報の非対称性**を解消することができます．また，製品の詳細な仕様，成分表，**ユーザーレビュー**，第三者による評価などを公開することでも，消費者は製品の品質を事前に把握することが可能になります．また，法律によって製品の品質情報を正確に開示することを義務付けることも可能です．

このように，情報の非対称性を解消するためには，商品の品質や価値に関する情報の開示を積極的に行い，透明性を高めることが必要になります．これにより，買い手は購入前に商品が良品であると判断できます．

経営者と従業員，株主と経営者，ユーザー企業とベンダーの関係は，**プリンシパル**（依頼人）と**エージェント**（代理人）の関係として捉えることができます．プリンシパルとエージェント間に情報の非対称性あると**モラル・ハザード**（行動規範の緩み）が発生します．モラル・ハザードを解決するためには**成果主義**を取り入れる必要があります．ただし，この解決策には成果の評価方法の公平性・納得性などの問題点が生じることがあります．

4－3　情報財の性質

情報財には消費者が取引前に品質を判断できないという**不確実性**（情報の非対称性）があります．また，情報は返品はできないという**不可逆性**があります．供給側には情報の複製にはほとんど費用がかからないという**複製可能性**という利点があります．情報共有によって消費者側の効用を高める**正の外部性**がありますが，企業側には違法コピーによる損失という**負の外部性**があります．情報はまとまって体系的になれば知識として価値を持ちますが，まとまっていない場合は価値が失われます（**不可分性**）．

例えば，Amazonの電子書籍は，取引前に品質を判断できるように試し読みの機能があり，内容が気に入らなければ返品が可能です．このように工夫することによって，情報財の性質のデメリットを改善することも可能です．また，複製の費用がかからないため，価格を自由に設定することが可能となり，頻繁に価格変更をしてセールを行うことも可能です．

4－4　情報財の費用構造

情報財の費用構造は非情報財とどのように違っているのでしょうか．総費用は固定費用と可変費用に分けて考えることができます．固定費用は生産量が変わっても変化しないコストで，例えば，工場の維持管理費，生産設備の減価償却費を指しています．それに対して，可変費用は生産量が変わると変化するコストで，生産に使われる原材料費や

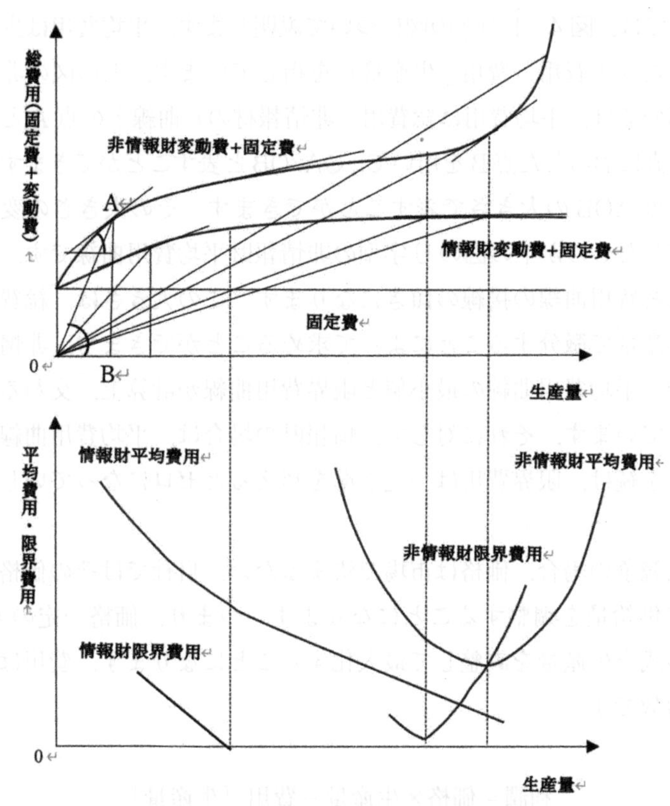

図４－１　情報財と非情報材の費用関数

著者作成

光熱水料，労働費用などを指しています．図４－１の上の図は，固定費が情報財と非情報財で同じであると想定して費用関数を図示したものです．図の「変動費＋固定費」は，生産が増えても変化しない水平な線になっている固定費の上に変動費の曲線を積み上げた総費用曲線を表しています．上の図で示したように，非情報材の変動費用は生産量が増加するにつれて**規模の経済性**が働いて接線の傾きは緩やかになりますが，製造設備の生産能力の限界に近づくと傾きは急になります．それに対して，情報財は傾きが緩くなった後も製造設備の生産能力の限界の影響を受けずに傾きが急になることはありません．

それでは，**図4－1**の下の図について説明します．平均費用は生産1単位あたりの費用（費用／生産量）を指しています．上の図の非情報財の部分では，平均費用は総費用（非情報材の）曲線上の点Aとその点を垂直におろした点Bを用いて，OA/OBと表すことができます．つまり角度AOBの大きさで表すことができます．その大きさの変化を図で表したものが下の図のU字型の非情報財平均費用曲線です．限界費用は総費用曲線の接線の傾きになります．この大きさは，総費用曲線を生産量で微分することによって求めることができます．非情報財の場合，平均費用曲線の最小値と限界費用曲線が計算上，交わることになっています．それに対して，情報財の場合は，平均費用曲線は右下がりを続け，限界費用は一定水準を超えるとゼロになっていしまいます．

完全競争の場合，価格は市場で決まるため，自社ではその価格に合わせて供給量を調整することになります．つまり，価格一定のもと，以下の式を生産量を調整して最大化することになります．費用は生産量の関数です．

利潤＝価格×生産量－費用［生産量］

この式を生産量で微分してゼロと等しいとすると，価格—限界費用＝0となります．つまり，価格は限界費用と等しいという条件になります．**限界費用**とは生産1単位増による追加費用のことです．先ほどの図で見た接線の傾きです．情報財は複製可能性であるため限界費用はほとんどゼロですので，この条件が当てはまると価格はゼロになります．情報財の価格は，この条件に従わせずに設定するか，情報財の販売で儲けずに別の収入源を考えることになります．つまり，別の収入源の場合は，5章で説明するビジネスモデル・キャンバスの収益源を別に確保する必要があります．

ここで，経済性を分類しておきます．**規模の経済性**とは，投入規模を増やすと産出量はそれ以上に増加することを指します．つまり，費用側で見ると平均費用の低下の部分に該当します．**範囲の経済性**は同じ組織の内部にある経営資源を複数の生産活動に応用することで費用が低減できることを指しています．また，**連携の経済性**は複数の組織が連携することによる経営資源の共有によって相乗効果を生み出すことを指します．**ネットワーク効果**は自分以外の利用者の数が増えるほどその製品・サービスを**使う側**の価値が高まることを指しています．**ネットワークの経済性**は，SNS，電子メールなどのネットワーク型のサービスにおいて，利用者が増えれば増えるほど，個々の利用者の利便性が増し，顧客獲得コストやサービス提供コストの逓減というそのネットワークを運営する**企業側**の経済的な効率が向上する現象を指します．

4－5　ロックイン

情報システムは一旦導入されると，様々な要因で他社製品に乗り換えることを困難にします．そのため，ベンダーはシステム開発を他社より安く入札し，そのシステムの運用で稼ぐことも行われてきました．

このように企業が既存の顧客との長期的な関係を築くことを目的に，顧客を囲い込むための手法のことを**ロックイン**と言います．乗り換えの困難さは**スイッチングコスト**という金銭的負担・心理的負担などで表します．ロックインはこのコストが高い状態を指しています．具体的には，実際に支払うコスト，手間や労力，時間などを指しています．また，**サンクコスト**（支払った費用や製品の利用経験など）を無駄にしたくないという意識によってその製品の利用を続けることもロックインを強化します．また，その製品の利用者が多い場合や利用頻度が高い場合に**ネットワーク効果**が働いて，利用者の利便性が高まり，その製品・サービスを利用し続けることに繋がります．他社参入の脅威は強いロックイン戦略を行えば防ぐことができます．商品の差別化にも繋がります．ロックインした企業は，運用・保守費，補完財・サービスの購入などで利益を得ることができます．ただし，ベンダーロックインは，選択した技術が開発の要件に沿わなくなってしまったときに他の製品への乗り換えを困難にするリスクを高めます．

他の企業は対抗するためにロックインを緩和させる対策を取る必要があります．例えば，楽天の優待サービスは上位の会員ランクになればよりポイントが追加されるので，反復利用によってスイッチング・コストが増加します．その場合，他社はより魅力的な優待プログラムを提案したり，優れたカスタマーサービスや顧客体験を提供する必要があります．スマートフォンを他社のものに乗り換えるときにも，登録をし直すというスイッチングコストがかかりますが，移行ツールが整備されれば，心理的負担を低下させることができます．多くの実証研究で，情報機器の継続利用にはスイッチングコストと満足度が影響していることが判明しています．システムの導入によるサンクコストは情報機器の**中古市場**が完備されていると軽減することができます．クラウドサービスなどで特殊なファイル形式を採用している場合は，利用者は汎用的なファイル形式で出力できるサービスを選択するとベンダーロックインを逃れることができます．

4－6　組織の経済学

5章で説明するビジネスモデル・キャンバスでのパートナーとの連携の基準は，企業組織内の分業と市場を通した企業間の分業の選択基準と考えることができます．市場つまり企業間取引の場合は，**取引費用**（探索，契約の交渉と締結，契約の履行の監視コストなど）が発生します．**機会主義**（自分に有利な情報や相手に不利な情報を隠す）が避けられない場合や**限定合理性**（あらゆる事態を完全に見通すことはできない）がある場合には取引費用が発生します．一方，組織においても時間の経過，規模拡大につれて**組織化費用**が増大します．例えば，企業買収，物流倉庫や店舗の建設，組織の管理コストなどです．外部環境の変化に柔軟に対応しようとしなくなり非効率になることもこの費用に含めることができます．例えば，技術の導入や新市場への進出に遅れると，組織の競争力が低下し，結果的に組織化費用が増大する可能性があります．

つまり，企業の規模は，この２つの費用の合計がもっとも小さくなるレベルに決まることになります．しかし，情報化が進むと，組織化費用も情報技術によって低下することもできますし，市場での探索などの取引費用も低下することができます．つまり，情報化が進むことによって企業規模がどの水準になるかは，その企業においてどちらの費用を情報化がより低下させることができるかにかかっています．ただし，３章で説明したように，組織変革が進んでいない企業では組織化費用が情報化で十分低下することはなく，企業規模が小さくなることがより合理的だと言えます．

それでは，**図４－２**を用いて，企業規模を考えてみましょう．横軸は

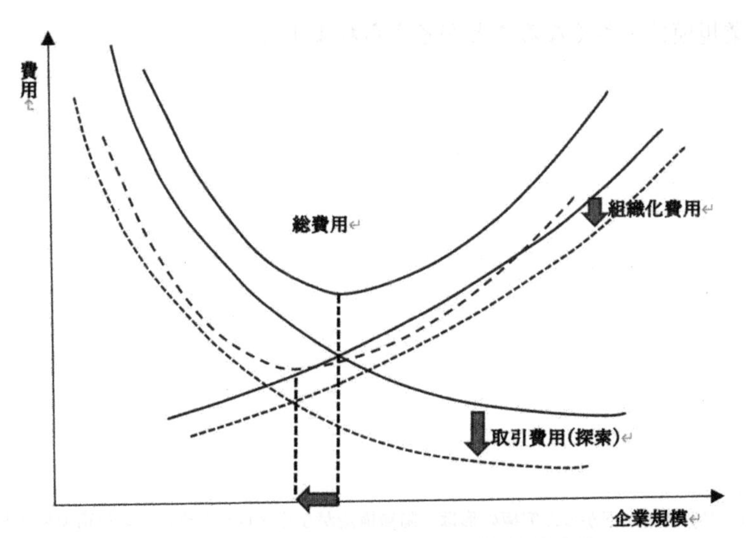

図４－２　デジタル技術の組織規模への影響

篠崎（2014）をもとに著者作成

企業規模，縦軸は費用を表しているとします．組織化費用は企業規模が大きくなるほど増加するので右上がりの曲線になります．一方，取引費用（探索など）の費用は，外部より内部の方がかからないのであれば右下がりの曲線になります．この曲線を縦方向に合計したものがU字型の総費用曲線になります．

例えば，デジタル・トランスフォーメーション（DX）を例に考えてみます．DXはデジタル技術を用いて組織を変革し新しいビジネスモデルで競争力を強化することを指しています．DXの成功は組織文化やリーダーシップ，そしてDXへの取り組み方にも大きく依存します．デジタル技術は外部環境を察知・探索する費用を下げることができるので，取引費用曲線を下方にシフトすることができるでしょう．ただし，現場の人がデジタル技術を活用し効率的に業務を行えるようにならなければ，組織化費用を十分に低下させることができないかもしれません．現状のDXの調査結果からは，組織化費用曲線を**図4－2**の矢印の長さの差のように，取引費用曲線と比べて組織化費用曲線を十分に下方にシフトさせる効果が出ていないかもしれません．そうなると，企業規模は小さくなることが考えられます[9]．

9）取引費用が下がった究極の形は，階層構造がなくブロックチェーン技術で個が繋がったDAO（分散型自律組織）かもしれません．詳細は，亀井他（2022）などを参照してください．

第5章
戦略とビジネスモデル

5-1　はじめに

2，3章では，マクロとミクロの視点から情報化の効果を確認しました．ただし，平均的な企業像をもとにした分析のため，日本では情報技術が競争優位をもたらしていないと感じた方もいたはずである．情報技術をうまく活用することによって競争優位をもたらし，平均以上の業績をあげている企業もあります．今回から，それらの事例分析の拠り所となる経営理論を解説します．

5-2　経営戦略立案プロセス

経営者の想い，企業の根本となる活動方針を明文化した経営理念（企業の存在意義）や経営ビジョン（企業の理想のあるべき姿[10]）のもと，経営目標[11]を立てて，市場環境（機会・脅威）の分析と経営資源（強み・弱み）の分析を行い，戦略ドメインを決定します[12]．戦略ドメイン

10) 問題解決とは，あるべき姿と現実とのギャップを解決することを指します．問題の種類には，現在の状況での問題と将来発生する可能性のある問題があります．課題とは，問題解決のために具体的に取り組むべき内容を指します．

11) 似たような概念があるのでここで整理しておきます．パーパスは会社の存在意義を，ミッションはパーパスを前提とした実行内容（To do）を，ビジョンはある時までに到達したい状態（To be）であるあるべき姿を指しています．パーパスと経営理念は近い概念ですが，パーパスは社会を意識しており，経営目標は社内に重点を置いています．ビジョンには動機が含まれますが，経営目標は単に達成すべき事項を指しています．

12) ドメインの策定は競合相手が明確になったり，無駄な投入を防止できるメリットが

は，企業の持続的な成長を可能とする自社特有の事業活動領域です．具体的には，「誰に（Customer：市場・顧客）」「何を（Function：機能）」「どのように（Technology：技術や独自能力）」の３視点で考えます．ここまで上層部で考えた**企業戦略（成長戦略）**を**事業部戦略（競争戦略**[13]**）**，**機能別戦略（生産，開発，営業，人事など）**という順番で具体的に落とし込んでいきます．機能別戦略とは，機能組織を最適化させるために策定する戦略，例えば，マーケティング戦略や営業戦略などを指しています．これらの戦略は，具体的に**経営計画**（中長期・単年度・個別）として実行され，チェックを行い計画の見直しが行われることになります．

経営戦略と**情報戦略**は整合性を取りながら策定する必要があります．DXでAIなどの技術がもてはやされていますが，経営戦略と整合的ではない情報技術は効果を生みません．

5－3　戦略策定ツール

戦略ドメインの決定において行われる外部市場分析には，PEST分析というフレームワークが用いられます．フレームワークを用いる理由は，特定の視点だけに偏らず多面的に分析を行うためです．**政治**（Politics：政治動向，政策など），**経済**（Economics：景気，為替など），**社会**（Social：人口，教育など），**技術**（Technology：技術開発，特許など）の４視点から外部を分析し，**脅威**と**機会**を見つけます．その後，３C分析・５フォース分析・SWOT分析の順に進めます．**図５－１**はAmazonを例にPEST分析，３C分析，５フォース分析を行ったものです．

３C分析はマーケティング戦略の策定で使用されるフレームワーク

あります．

13）企業戦略は企業が複数の事業機会のどれを選択するかまた退出するかを決めるもので，競争戦略は特定の場（業界・国など）で企業がどのように戦うかです．

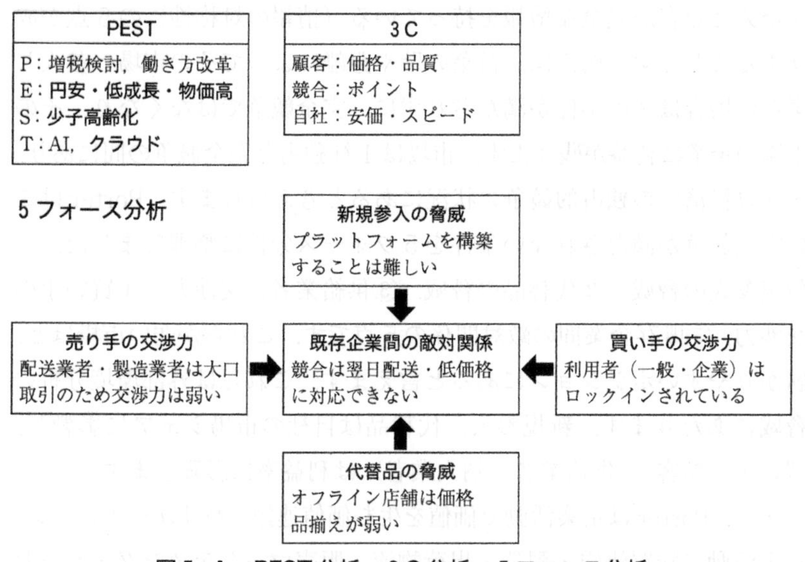

図５－１　PEST分析，３C分析，５フォース分析

で，顧客（Customer），競合（Competitor），自社（Company）で捉えるものです．顧客・競合は外部環境分析に該当します．自社の視点は内部環境分析にあたります．顧客・市場動向（顧客ニーズ，市場の成長性など）や競合（競合の特定，シェア要因）の視点から自社の製品・サービスの強み（選ばれる理由）・弱みを整理して，マーケティング戦略を策定します．ただし，３C分析は企業を取り巻くミクロ環境の視点での分析であると捉えると，PEST分析はより広いマクロ環境の分析だとも言えます．

５フォース分析は，経営戦略論のポジショニングビュー（PV）の立場の分析ツールです．その産業が儲かる構造になっているかどうかは，いかにミクロ経済学の完全競争の状況が成立していない世界になっているかで判断します．完全競争は企業同士の競争が進み，個々の企業の利益がなくなる状況を指しています．完全競争の条件とは，①価格に影響しない多数の企業によって市場が形成，②その市場への参入障壁がない，③商品が差別化されていない，④経営資源の異動が容易，

⑤企業と顧客が完全な情報を持っている（情報の対称性）の５点が成立することです．例えば，言葉の壁や距離によってその市場へ参入しずらい場合は②の条件が満たされずに，完全競争ではなくなり，その市場の企業に利益が残ります．市場は１社独占と完全競争の間にあり，ミクロ経済学の**独占的競争**の状況にあると考えられます．Porterはこの完全競争が満たされない条件を５フォース分析に整理しました．①新規参入の脅威，②代替品の脅威，③供給業者の交渉力，④買い手の交渉力，⑤既存企業間の敵対関係の５点です．これらが弱い市場ほど，儲かりやすいポジションにあると言えます．これらは外部環境分析の**脅威**にあたります．新規参入，代替品は自社の**市場シェア**に影響し，買い手（顧客），供給業者（納入業者）は**利益率**に影響します．

また，Porterは企業活動で価値を生む価値連鎖（バリューチェーン）を**主活動**（購買決定・製造・出荷物流・販売マーケティング・サービス）と**支援活動**（調達・技術開発・人事労務管理・全般管理）に分けて分析しています．どの活動が付加価値を生み出しているかを特定することで，自社の強みを確認できます．

自社の**コア・コンピタンス**（競合に真似されにくい核となる技術や特色）の把握や**ケイパビリティ**（組織としての能力）の理解は，内部環境分析の強みの把握になります．

経営資源を重視する**リーソース・ベースド・ビュー**（RBV）の立場では，強みには**VRIO分析**が用いられます．経営資源をV（Value：経済価値），R（Rarity：希少性），I（Inimitability：模倣困難性），O（Organization：組織能力）の４点で評価し，上から順番に該当しＲ以上になると，その経営資源は市場で競争優位をもたらすと考えられます[14]．**経営資源**には，人・モノ・金・情報・技術・ブランド・専門能

14）VRIO分析に対してVRIN分析があります．Oの組織能力の代わりにN（Non-substitutability：代用可能性），つまり，その経営資源は他の資源で代用可能ではないかというものです．この手法はそれを活用する組織ではなく，経営資源だけにフォーカスしていることがわかります．

表5-1　VRIO分析

分析対象	情報	技術	ブランド
V（経済的価値）：機会や脅威に対応できるか	Yes	Yes	Yes
R（希少性）：競合が同じ資源を持っていないか	Yes	Yes	No
I（模倣困難性）：簡単に真似できないか	Yes	No	No
O（組織能力）：組織が有効に活用できるか	Yes	No	No
評価（競争優位性）	持続的	一時的	競争状況
戦略	強みを維持	特許取得	ブランド構築

力・組織文化などを含みます．自社の経営資源が他社に簡単に模倣されてしまうと，一時的に競争優位になったとしても持続はしません．その経営資源が自社の歴史に依存（**経路依存**）しているため模倣に時間がかかったり，模倣の方法が分からなかったり，因果関係が不明でどの手順で模倣すればよいのか分からなかったり，特許によって保護されれいる場合は**模倣困難性**は高まります．VRIOのOはVRIを満たす経営資源をいかに組織として活用できるかであり，**ケイパビリティ**に対応しています．Oにも該当する場合，持続的競争優位の状態になります．VRIO分析の結果，競争優位であると判断した経営資源は強みとなります．それに対して，他社の方が優れているものは**弱み**となります．**表5-1**はVRIO分析を経営資源についてまとめたものです．

ここまでで示された，PEST分析，3C分析，5フォース分析で示された機会と脅威，VRIO分析，バリューチェーンで示された強みと弱みを整理したものが，**SWOT分析**になります．これは整理ツールであって，戦略を策定するツールではありません．SWOT分析を変形させた**クロスSWOT分析**は「強み（S）」×「機会（O）」=「**SO戦略**」，「弱み（W）」の克服×「機会（O）」=「WO戦略」，「強み（S）」で乗り切る×「脅威（T）」=「ST戦略」，「弱み」×「脅威」=「WT戦略」事業の縮小・撤退など，の戦略の策定になります．特に，自社の競争優位のある経営資源を用いて機会に挑戦する**SO戦略**は最も重要な戦略になります．WO戦略の場合，弱みを外部のパートナーと提携したりMA（企

表5－2　SWOT分析，クロスSWOT分析

SWOT分析

S（強み）技術力 売り手とのパートナーシップ 配送センター，プライム会員 AWS，ブランド力，財務力	W（弱み） 悪質な出品者の管理 実店舗の経営
O（機会） AI，クラウド拡大	T（脅威） 円安・低成長・物価高 少子高齢化 物流の2024年問題

クロスSWOT分析

	強み（S）	弱み（W）
機会（O）	SO戦略 迅速に安価にAWS 生成AI AmazonQ	WO戦略 悪質な出品を防ぐ高度な 機械学習による予測的保護
脅威（T）	ST戦略 デリバリーステーション でドライバー不足解消	WT戦略　アパレル実店舗 Amazon Styleとヘルスケア Amazon Haloの撤退

業買収）をすることによって克服できれば，十分に成果を上げることができます．**表5－2**はAmazonを例に，SWOT分析，クロスSWOT分析を行ったものです．

ポジショニングビュー（PV）の立場では，経営資源ではなく，自社が業界内でとっているポジショニングによって競争優位になると考えており，その際の戦略はコストを下げて価格競争に持ち込む**コスト主導戦略**か**差別化戦略**になります．**規模の経済性**を働かせた圧倒的なコスト優位性を維持できなければ，差別化の方が現実的です．中小企業の場合は，業界全体のような広いターゲットに対してコスト主導戦略をとる**コストリーダーシップ戦略**は取りづらく，現実的には特定のセグメントだけの狭いターゲットに対する差別化戦略である**集中戦略**（**差別化**）の方が競争優位になることができます．ただし，情報財の場合は，限界費用が限りなくゼロに近づくので，中小企業であっても，広いターゲットに対して，**コストリーダーシップ戦略**や**差別化戦略**を取ることは可能です．

ただし，競争優位を維持することは難しく，利益が出ている場合はその市場の他社が参入したり代替品が現れることによって利益は減り，自社の強みである経営資源が模倣されれば差別化ができなくなります．競争優位を維持するためには，製品やサービスの**ライフサイクル**（導入期，成長期，成熟期，衰退期）を考えて，衰退期になる前に新しい製品やサービスを市場に投入する必要があります．

5－4　ビジネスモデル

競争優位を持続させるためには，戦略論で十分考慮されていない戦い方を分析することができるビジネスモデルを工夫する必要があります．Johnson（2010）は，①**価値提案**（CVP: Customer Value Proposition：顧客の課題の解決に貢献する製品・サービス），②**利益方程式**（利益を生み出す仕組み[15]），③**カギとなるプロセス**（再現性があり規模の拡大を可能とするために必要な業務プロセス，評価基準，行動規範），④**カギとなる資産**（CVP の実現に必要な人材，技術，設備，ブランド等）が一貫した形で相互補完的に作用し合うことで，成功するビジネスモデルが生まれると考えています（**ビジネスモデル・イノベーション**）．

表５－３に示した**ビジネスモデル・キャンバス**（Business Model Canvas: BMC）は，Johnson（2010）の**価値提案**を効果的に提供するためのオペレーショナルなフレームワークです．Amazon のビジネスモデルを例として示しています．図の左側の**主なリソース**（Key Resources：**強み**となる必要な資源）と**主なパートナー**（Key Partners：パートナーシップ）を用いて，**主な活動**（Key Activities：必要な活動）を行って創造した**価値提案**（Value Propositions：顧客に提供する

15）収益モデル（価格×販売量），コスト構造（直接費／間接費，規模の経済性など），１単位当たりの目標利益率（目標利益を実現するために必要な１取引当たりの利益），経営資源の回転率（目標販売量のために主な資産をどれくらいのスピードで回転させるか）によって決まります．

表5－3　ビジネスモデル・キャンバス

RPV　　　　　　　　　　　　　　　　　　　　　　　PV
インプット　⇒　アウトプット　⇔　マーケット（需給）

⑧主要パートナー	⑦主要活動	①価値提供	④顧客との関係	②顧客セグメント
(1)(2)配達・卸業者 販売・製造業者 (4)著者（KDP） 技術パートナー	ソフト開発と保守 国際的な配送 カスタマーサービス	(1)(4)低コスト，品揃え スピード，信頼 Amazon Prime (2)コスト効率，配送 (3) WEB サービス， ストレージ	(1)(2)レコメンド機能 Alexa，顧客サービス (3)セルフサービス API (4) Kindel リーダー	(1)(4)世界を対象とした 消費者 (2)配送が必要な企業・ 個人 (3)デベロッパーと企業
	⑥主要リソース IT インフラとソフト 物流ネットワーク ブランド，技術力 顧客データ		**③チャンネル** (1) Amazon サイト (2) Marketplace (3) AWS API (4) Kindle，Audible Store	
⑨コスト構造 IT ハードとソフト（データセンター） (1)(2)配送設備 カスターマーサービス維持費 マーケティング・広告費用，技術開発費			**⑤収益の流れ** (1)(4)販売マージン (1) Amazon Prime 会費 (2)配送料 (3)サービス利用料	

それぞれの関係に必要不可欠な活動・パートナー・資源・コストに絞っています
丸数字は検討する順番を示しています

山口（2019）などを参考にオスターワルダー他（2012）に追記

製品やサービスの価値）を，**顧客セグメント**（Customer Segments：ターゲットとなる顧客群）に対して，**チャネル**（Channels：顧客に届けるための経路）**と顧客との関係**（Customer Relationships：どのように顧客と接するか）を使って提供します．そうすると，右側の活動から**収益の流れ**（Revenue Streams：収益の源）が，左側の活動から**コスト構造**（Cost Structure：必要なコスト）が発生し，その差額が利益となります．これらの要素が一貫した形で相互補完的に作用し合うことで，成功するビジネスモデルが生まれます．Johnson（2010）の利益方程式は収益の流れ・コスト構造と，カギとなるプロセスは主な活動と，カギとなる資産は主なリソースと対応していることがわかります．図の上に注記として，経営戦略論のポジショニング・ビュー（PV）とリソースベースドビュー（RBV）を，ミクロ経済学の生産関数のインプットとアウトプットの関係と顧客の需要との関係を表す市場を示しました．厳密には顧客セグメントと提供価値がPV，主要リソースがRBVに当たります．

5－5　主なビジネスモデル

表５－４は主なビジネスモデルです．ビジネスモデル・キャンバスの各項目に対する特徴を組み合わせることによって多くのビジネスモデルを作成することができます．ここで紹介するビジネスモデルは一部です．例えば，Gassmannら（2016）は55のビジネスモデルを他業界に**転用**・複数のビジネスモデルを**組み合わせ**・他の製品に**再利用**することによって新たなビジネスモデルの９割は説明できるとしています．

ダイレクト：

卸業者を通さずに直接，消費者に販売します．既存の卸業者との関係を変えることができない企業に対して価格を抑えたカスタマイズや迅速な提供で優位性を発揮します．

マクドナルド化：

製造工程を標準化して特別な技能がなくても商品・サービスを提供できるようにします．品質が安定し，消費者側もブランド名で品質を確認できるというメリットがあります．

プラットフォーム：

ユーザーとサービスを提供する側を仲介するビジネスモデルです．

表5－4　主なビジネスモデル

分類	ビジネスモデル名	提供する価値	収益化の仕組み	例
チャンネル	ダイレクト	マスカスタマイゼーション	中抜きで低価格	ダイレクトモデルパソコン
経営資源	マクドナルド化	安定した品質	低価格×大量販売	外食チェーン
顧客関係	プラットフォーム	需給のマッチング	手数料／仲介料	不動産，恋愛，EC
価値提供	ライセンス	使用権利（特許権／著作権）	ライセンス料	キャラクター
価値提供	コレクション	パーツごとに販売	パーツからの収益	分割雑誌
価値提供	二次利用パターン	名前やパッケージを変えて再販	売上（廉価版）	DVD，文庫化
価値提供	アンバンドリング	顧客の希望部分だけ切り出す	専門性	ほけんの窓口，セブン銀行
価値提供	ブルーオーシャン	省略・縮小・追加して新たな価値	訴求価格	QBハウス，俺のフレンチ
価値提供	ロングテール	多様な客に価値を提案	全体で	ネット通販，自費出版
価値提供	従量課金	量り売り	利用分だけ収益	ネットカフェ
収益	サブスクリプション	継続利用	継続・安定的収益	動画・音楽配信
収益	フリーミアム	フリー＋プレミアム	高度サービスから収益	アプリ，一定数記事無料
収益	替刃モデル	本体安価＋消耗品	消耗品	ビデオゲーム，インクトナー

不動産の仲介やメルカリのような個人間売買，電子商取引などが代表例です．

ライセンス：

特許権や著作権といった知的財産を二次利用させる権利（ライセンス）を提供します．10章で詳しく見ますが，クロスライセンス契約した場合は，特許権を持っていても競争優位で無くなる場合があります．

コレクション：

パーツを集めて完成させるコレクション心をくすぐるモデルです．いかにコレクショを続けさせるかが鍵です．初回を安価に販売して顧客を呼び込み，定期購読につなげることができれば，安定的に利益を上げることができます．

二次利用パターン：

同じ商品を様々なバージョンで出して，収益を上げるモデルです．例えば，映画をDVD，ブルーレイ，配信で利用できるようにします．また，再販の度に値段を下げて今まで購入していない層の購買意欲を高める場合があります．

アンバンドリング：

顧客の希望部分だけ切り出すモデルで，セブン銀行のように入金・出金に特化したり，機能豊富な製品の機能を切り出して，複雑性を下げて使いやすいものにすることができます．

ブルーオーシャン：

消費者にとって不必要な機能を省いたり，新たな機能を追加することによって，競合企業がいない市場を創設します．QBハウスは散髪のみに特化して安価にし，スキマ時間の有効活用という価値を提供します．

ロングテール：

販売量の分布を見ると，上位商品が販売数量の多くを占めますが，残りの商品はあまり売れないという長い尾を引いた分布をしています．そのため，在庫を抱えることができない企業は売れ筋商品に絞って販売することになります．EC（電子商取引）のように，在庫を持たないもしくは配送センターを設置して在庫コストを下げることができれば，その尾の部分の売上も計上することができます．

従量課金モデル：

顧客が製品やサービスの利用量に応じて料金を支払います．利用量が数量の場合は，電気・ガス・水道・通信量などが該当します．また，利用量が利用時間の場合は，インターネットカフェやコインパーキングなどが該当します．

サブスクリプションモデル：

顧客が定期的に料金を支払い，製品やサービスを利用します．動画配信サービスや音楽ダウンロードサービス，最近はシステム開発の分野でも導入され始めています．継続的かつ安定的に収益を見込める利点があります．購入をゴールとする定額制と違い，解約されないように顧客満足度を維持・改善する必要があります．

フリーミアムモデル：

基本的な製品やサービスは無料で，追加機能やサービスに対して料金が発生します．高度な機能に課金する**機能制限**，利用量を追加する場合に課金する**容量追加**，課金すると会員限定サービスが受けれる**会員限定**，必要なときだけ課金する**都度課金**があります．

替刃モデル：

本体を安く売ってその付属品で稼ぐモデルです．例として，髭剃りがよく使われるので，替刃モデルといいます．インクジェットプリンターとトナー，ゲーム機とソフトもこのモデルで説明することができます．

5-6　プラットフォーム

McAfee & Brynjolfsson (2017) は，プラットフォームには，無料で

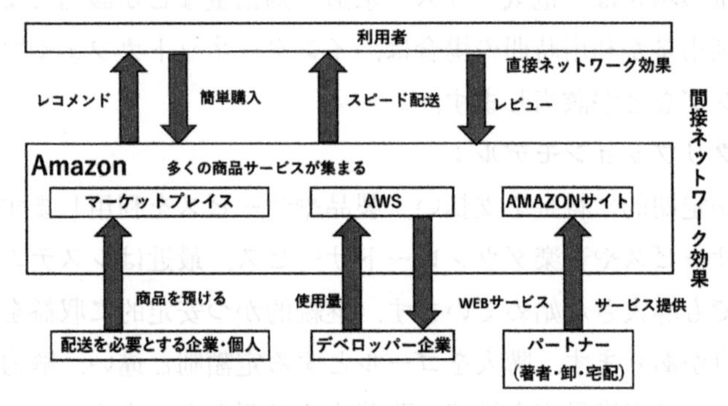

図5-2　プラットフォーム
著者作成

複製，オリジナルと完全に同じ，ネットを通してすぐに利用可能になる**瞬時の優位性**の3点が重要になると述べています．価値提供の特徴である**アンバンドリング**や収益の特徴である**サブスクリプション**などを組み合わせることも可能です．

図5-2は，ワンサイドのみか，2サイド以上のマルチサイドのプラットフォームの例です．例えば，LINEやX（旧Twitter）では，基本的な使い方は利用者間でのコミュニケーションであり，参加者が多くなれば利便性が向上する**直接ネットワーク効果**があります．それに対して，マルチサイドの例として示したAmazonのマーケットプレイスでは品揃えを増やすことによって，直接ネットワーク効果に加えて，利用者の対岸にいる業者との間にも**間接ネットワーク効果**が発生します．また，プラットフォームをオープン化すると，(1)利用者のデータ

の入手(2)アプリ販売の手数料などで収益機会の増加などのメリットがあります．

McAfee & Brynjolfsson (2017) は，成功するプラットフォームの特長を以下の４点であると説明しています．

(1)他社が**ネットワーク効果**を発揮する前に早い時期に地位を確立する．ただし，一番乗りである必要はない．
(2)可能な限り**補完財**[16] の優位性を活かす．補完財の一方の価格が下がれば他方の需要が増える．
(3)プラットフォームを**オープン化**して，多様な供給を募る．**無料**で利用できる補完財が増えると**消費者余剰**[17] が拡大し，ペアの需要曲線は外側にシフトし，需要が増える．
(4)プラットフォームをオープン化した際，参加者に一貫性のある心地よい**エクスペリエンス (UX)**[18] を提供するために，供給側に一定の**基準**を示し審査する．

(4)のように，一旦構築したプラットフォームの質を保つ必要があります．情報の非対称性で説明したように，レビューシステムを構築してレモンを選別して排除することによって利用者との信頼関係を醸成しなければなりません．

また，ヨフィー (2019a) は，４章で説明したスイッチングコストを高めて**マルチホーミング**（利用者が複数のプラットフォームを使うこと）を阻止することも重要であると述べています．また，ヨフィー

16) 補完財とは，ある財の需要増に合わせて需要が増加する財のことです．例えば，ゲーム機の値下げで，ゲーム機の需要が増加すると，そのゲーム機で稼働するゲームの需要が増加する場合などです．
17) 消費者余剰は，払ってもいいと考えている価格から実際の価格を引いた差を表しています．
18) UX については８章で解説しています．

(2019b) は，複数のサイドのうち，(1)**価格弾力性**[19] が低い方に課金，(2)プラットフォームに関心が高い方に課金，(3)複数のサイドに課金するのではなく課金するサイドを絞るべきだと説明しています．また，構築したプラットフォームを維持するために投資して変革し続けることが必要だと述べています．

19) 価格弾力性とは価格の変化に対する需要の変化の程度で表します．この値は絶対値で表します．価格弾力性が低いとは，価格を上げても需要量を大きく減らさないことを意味しています．例えば，男性の独身会社員は弾力性が小さく，学生や主婦は弾力性が高い傾向にあります．

第6章
IT 企業と情報システム開発

6－1　はじめに

この章では，情報システム開発について説明を行ないます．

日本のシステム開発はなぜ失敗しやすいのか．クラウドの導入などでハードウェアにかけるコストが下がっているのにどうしてシステム開発費が下がらないのか．業界の現状も踏まえて説明します．

IT 人材は，(1)IT ベンダー・システムインテグレーターなどのIT 企業に勤務しているシステムエンジニア（SE）・営業担当者・責任者，(2)IT 人材の派遣会社に登録している人，(3)製造業・流通業など「ユーザー企業」の情報システム部門・システム子会社に所属している人，を指します．IPA（情報処理推進機構）の2019年調査では，(1)(2)の作る側の人材は全IT 人材の76.5％を占めています[20]．

6－2　日米システム開発の比較

日本ではユーザー企業のIT 部門はIT ベンダーとの橋渡し役になっています．IT ベンダーは多くの技術者を抱えています．多少の赤字は新規開発でかぶっても，継続運用開発で黒字を稼ぐビジネス・モデル

20）日本のIT 企業の人材のうち，68％が受注開発に従事しています．IT 人材白書2017では，カナダ，イギリス，ドイツ，フランスでは，IT 企業以外に所属する割合が5割を超えており，特に，米国ではIT 企業以外に所属する割合が65.4％と最も高くなっていることが示されています．また，英（2016）によれば，インドや中国は日本と似た割合を示しています．

を採用しているベンダーもあります．また，3章で説明したように，多くの経営者は米国の経営者ほどITの重要性を理解していません．

一方，米国では実質的には企業内のソフトウェア開発部門がIT技術の判断の実権を持っています．また，ユーザー企業はIT技術者を抱えて内製化しています．ボトムアップ型でITを導入していますが，経営者がITの重要性を理解しています[21)]．

表6－1は，日米のシステム開発の傾向を整理したものです．**一括請負契約**とは，契約時点で要件定義からテスト，納品までを一括して請負し，完成品の納入を約束し，相手方がその仕事の結果に対して報酬を支払うことを約束する契約です．変更に関する柔軟性がありません

表6－1　日米のシステム開発比較

比較項目	日　本	アメリカ
開発スタイル	外部ベンダーに委託	ユーザー企業で内製化
IT人材	76.5%はベンダー，ユーザー企業に23.5%	35%はベンダー，ユーザー企業に65%
契約方法	請負契約・準委任契約	インセンティブ契約など多彩
一括請負契約	中小規模の開発で一般的	×
開発の全工程管理の役割	ベンダー（SIer）側	ユーザー企業側
導入スケジュール	タイトな場合が多い	余裕をもたせる
ユーザーインターフェース（UI）	機能豊富で複雑	シンプル
ビジネスプロセス	ビジネスプロセスを大きく変えずにアドオン（追加）開発で対応	BPR（ビジネスプロセス再設計）を行ってパッケージにビジネスプロセスを合わせる
管理帳票・画面	多くなりがち	少ない
見積もり	人月	人時間
主な開発方法	ウォーターフォール	アジャイル
投資対象	コスト削減・業務効率	製品・サービス開発強化
システム構築費用	単価は安いが総額で高い	単価は高いが総額で安い
システム評価方法	不明確（定性的）	明確（定量的）

（出所）工藤（2009）を改変

21）Cusumano（2004）は欧州企業は利益を得ることよりも技術を重視し，米国企業は品質よりも世界標準を作って大もうけを狙い，日本企業は特定の顧客向けのプログラムを開発する高度な技術（品質）を持っていると分析しています．

が，開発コストが明確になります．一括請負契約の場合，上流工程から下流工程へと開発を進める**ウォーターフォール**型の開発方法と親和性があります．この手法は，品質を重視した大規模開発に適しています．ただし，手戻りが発生すると開発費用が膨らみ，契約トラブルになることがあります．

準委任契約は業務遂行に対して報酬が支払われますが，完成させる義務は負いません．つまり，ベンダー側にとってリスクが低い契約方法です．日本では，IT技術者が主にIT企業に集中しているため，ユーザー企業において技術に詳しい人材が少ない状況にあります．そのため，多くの企業が一括請負を希望していました．

経済産業省は「情報システム・モデル取引・契約書」で，各工程毎に個別契約を締結し，ある工程が完了したら次の工程に関する契約を締結する**多段階契約方式**を提唱しています．例えば，コンサル契約，要件定義契約，外部設計契約までは準委任契約で，ソフトウエア開発契約は請負で行うことが考えられます．

ユーザー企業に技術に詳しい人材がいない場合は，自社の他のシステムとの統合もベンダーに頼ることになります．現場の意見を集約してシステムの要件を作るため，機能豊富なユーザーインターフェイスや管理帳票・画面が多くなります．自社の商習慣などをシステム化に合わせて見直していない場合は，パッケージを導入してもそのすべての機能を使うことができず，自社の業務内容に合わせて，パッケージに対してアドオンで追加開発を行う必要が出てきます．

6-3　日本のITサービス市場の特徴

ITを軽視する企業経営者がいる場合には，社内IT部門から元請けのIT企業（ベンダー）に一括請負でシステム開発を発注することになります．元請け企業が「上流工程」を担当し，「中流工程」「下流工程」を下請け企業に委託する形を取っています．開発業務が割り振られることになると，下請け企業は市場開拓するインセンティブがなくなります．上の階層の企業から順番に自社取り分を差し引いて下請けに委託している場合，下の階層になるほど下請け企業は予算が限られるため，問題発生時に要員追加ができず，既存要員の長時間労働につながる可能性があります．

6－4　ITコストが下がらない構造的な要因

まず，作る側の視点として，次の２点が考えられます．

一点目として，人月に基づく見積もりが挙げられます．システム開発の費用の大部分は人件費で占められています．先ほどの**表６－１**で示したように，日本は人月でコスト計算をしています．人月とは，単価120万円／人・月で５人が６ヶ月働いた場合は，120×５×６＝3600万円のように計算します．アメリカは細かく時間管理して時間単位で計算します．不確定な条件下で契約を締結した場合，不確実な要因が明らかになった時点で契約金額を上回るコストが発生すると，その差額はベンダー側の負担となります．そのため，リスクを想定した単価になっています．この単価は必ずしも生産性の違いに基づいて決められているわけではないので，生産性が低い要員を多く投入すればそれだけコストは増加します．プロジェクトの「山場」には「下流工程」を担当する要員が多くなるため，技術力に不安があるシステムエンジニアが投入される場合，いわゆる経済学の**レモン市場**が発生することになります．

二点目として，組織構造の問題が挙げられます．ベンダーが政府系システム，金融機関システムなどの顧客企業の業種ごとに組織化している場合，特定の分野における業務知識に偏重し，同じ価値観を持った者同士でサイロ（縦割り組織）になると考えられます．これは，組織の経済学の**組織化費用**にあたります．そうなると，業種ごとの組織間での情報共有ができなくなる場合もあります．その場合，同様のシステムを重複して開発し，**範囲の経済性**が働かない場合があります．また，パッケージ化して売れば限界費用が低下するという**規模の経済性**が働くはずですが，個別の案件ごとに開発する場合はその効果が発揮しづらくなります．

また，使う側の問題点として，パッケージをそのまま導入するのではなく，自社の環境に合わせてカスタマイズすることが挙げられます．その場合，システム開発を複雑にし，その複雑さは開発費用の増加を招きます．特に，大規模なシステムの開発では，多くの要素が絡み合いコストを増加させます．

また，日本のシステム開発の産業構造がユーザー企業（利用者側）とIT企業（提供者側）に分けられていることも影響します．利用者と提供者の間に，情報の非対称性やITケイパビリティ（組織としての能力）差がある場合，開発プロセスを複雑にし，コストを増加させる可能性があります．また，多重下請け構造や開発要員がユーザー企業にいないことは，「伝言ゲーム」のような状況を生みます．これは，開発の各段階で情報が伝達される過程で，情報が歪む，または欠落することが起こりやすいという事象を指します．この結果，開発プロセスが非効率的になり，コストが増加します．

これらの要因が組み合わさることで，システム開発のコストは高くなり，クラウドの導入などによるハードウェアコストの削減がそれを相殺できない状況が生じています．これらの問題を解決するためには，**開発プロセスの改善**，**組織構造の見直し**，**人材育成**などの取り組みが必要となります．

6－5　日本のシステム開発が失敗しやすい理由

システム開発が失敗したかどうかは，(1)設計の欠陥，テストの不足，またはユーザーの要件の理解不足によって品質が低下したり，(2)予期しない問題の発生，見積もりの誤り，またはプロジェクトのスコープの変更によって**予算超過**が発生したり，(3)計画の不備，リソースの不足，または技術的な問題によって**遅延**が発生したり，(4)ユーザーのニーズの理解不足，ユーザーインターフェースの問題，またはシステムのパフォーマンスの問題によって**ユーザー満足度**が低下したかで判断します．

日本のシステム開発が失敗しやすい理由として，まず，**システム評価**が不十分な点が挙げられます．システム開発の前に行う**事前評価**において，プロジェクトのゴールや開発するシステムの役割，導入後に期待される効果などを明確にしないままプロジェクトを開始すると，**品質**（Quality），**コスト**（Cost），**納期**（Delivery）のどの項目においても中途半端な状態でリリースすることが考えられます．日本は納期を厳格に守る傾向にありますが，過度に納期を重視するとテストが不十分になりバグなどによって品質が低下したり，納期に間に合わせようとして開発要員を増員することによってコスト増を招くことになります．開発要員を増員すると，開発要員間でのコミュニケーションと学ぶ時間が増加します．このように遅れているプロジェクトに要員を追加すると更に遅れることになります（**ブルックスの法則**）．

Yourdon (2001) は，「プロジェクトのパラメータが正常値50％以上超過したもの」もしくは「公正かつ客観的にプロジェクトのリスク分析（技術的要因の分析，人員の解析，法的分析，政治的要因の分析を含む）をした場合，失敗する確率が50％を超えるもの」を**デスマーチ**と定義しました．プロジェクトのパラメータが正常値を50％以上超過するとは，以下のことを指します．

- 与えられた期間が，常識的な期間の半分以下である
- エンジニアが通常必要な人数の半分以下である
- 予算やその他のリソースが必要分に対して半分である
- 機能や性能などの要求が倍以上である

プロジェクトがデスマーチとなった場合，**火消し人**（既存の者からの情報収集と既存のメンバーの更迭が出来る人）が必要となります．

6－6　ウォーターフォール開発

開発方法であるウォーターフォールモデルはIT 業界の構造を規定しています．ウォーターフォールモデルでは，各フェーズが独立しているため，ビジネス部門とIT 部門の間でコミュニケーションがうまくいかないことがあります．また，ウォーターフォールモデルでは，複数の小さなタスクに分割して進行することが多いので，末端のエンジニアに渡ってくる情報が期限つきの細切れ情報になり，それをこなすだけになり創造性を奪い仕事が楽しくなくなります[22]．

ウォーターフォールモデルでは，一度システムが完成すると，それを変更するのは困難です．そのため，**レガシーシステム**（古いシステム）に依存しすぎて新しい技術への移行が遅れていることも問題です．

ただし，(1)初期のユーザー要求やプロジェクトの目標が明確で不確実性のレベルが非常に低い場合や(2)プロジェクトのどの時期にも正式な文書化が必要な場合はウォーターフォールモデルが適しています．ウォーターフォール開発では企画や要件定義をじっくり行ってから開発を始めます．また各工程の成果物に対して技術担当者・発注者などの合意が取れないと次の工程に進めないため，開発期間が長期化しやすい傾向にあります．そのため，臨機応変な対応が必要なDX を実現するのには限界があります．

22) IT 人材白書（2013）ではアジャイル型とウォーターフォール型の開発者にアンケートを取っており，仕事への取り組み，仕事が好きかどうか，誇りに思うかどうかの全てで，ウォーターフォール型の方が劣っていることがわかりました．

6‐7　アジャイル開発

そこで，現在注目されている開発方法として，アジャイル開発があります．アジャイル開発は，反復的かつ増分的な開発手法です．開発作業を**スプリント**または**イテレーション**と呼ばれる短い時間枠に分割し，各スプリントの終了段階で動作するソフトウェアの一部が完成します．この開発方法は柔軟性とフィードバックが可能になります．

しかし，ウォーターフォールモデルほど厳格に計画とドキュメンテーションを管理できないため，プロジェクトのスコープ（範囲）がうまく制御できなくなる可能性があります．アジャイル開発を正確に理解していないために推進できないという**開発チームのスキルの問題**やアジャイル開発に合った外部への委託契約が上手く行かない，閉鎖的な**組織文化**のためにウォーターフォール型での開発からアジャイル開発に対応した組織への変更が困難になるなどの問題があります．

ガートナーの2019年の調査[23]によると，従業員数2,000人以上の日本のIT企業でのアジャイル開発の導入率は30～40％程度となっています．導入率が80％以上の欧米と比較すると，日本の導入率は低いと言えます．

アジャイル開発の中でも最も普及している開発のフレームワークは，スクラムと言います．Takeuchi & Nonaka（1986）の経営学の研究をSutherlandら（2007）がソフト開発に応用したものです．ラグビーのように専門性を持ったチームが一丸となって（開発の最初から最後まで）ボールを運ぶ（新商品を開発する）ことからそのように名付けられました．チームが自律的に動ける（**自己組織化**）環境を与えると製品化までの時間が短縮されます．何を開発するかを決める**プロダクトオーナー**と全体を支援・マネジメントする**スクラムマスター**，そして，開発メンバーでチームを組みます．

23）https://www.gartner.co.jp/ja/newsroom/press-releases/pr-20190221

スクラムの特徴は，事実や経験の根拠に基づく**経験主義**と無駄を最小限に抑える**リーン思考**になります．**透明性**（プロセスや課題などを可視化），**検査**（現状の把握），**適応**（問題発生時の修正や改善）という経験主義の３つの原則があります．また，**確約**，**勇気**，**尊敬**，**公開**，**集中**という５つの価値基準も定義されています．スクラムでイノベーションを起こす要諦は，ペアプログラミングと朝会です．ペアプログラミングは２人一組で，キーボードを打つ側と助言と質問をする側になって，15分ごとにその役目を入れ替えます．コミュニケーション（情報共有）によって，ミスの発生や遅延を大幅に減らすことができます[24]．朝会はメンバー全員で毎朝15分程度障害報告などの情報を共有することです．

24）コストは1.15倍になるがテスト通過率が15％増加，コード行数が15％削減できるという報告もあります．

第７章
情報システム評価概論(1)
財務的手法

7-1　はじめに

企業IT動向調査報（2023）では，売上高規模の大きい企業ほど「経営戦略を実現するためにIT戦略は無くてはならない」とする企業割合が多く，IT戦略を重視する傾向が示されています．業種グループ別の売上高に占めるIT予算比率をトリム平均値（上位と下位のデータの一定割合を取り除いて計算した平均値）で見ると，全体2013年0.69%⇒2019年1.28%，金融保険業2013年4.59%⇒2019年8.16%，サービス業2013年0.75%⇒2019年1.85%，建設・土木業2013年0.42⇒2019年0.59%と増加してますが，業種によって差があることがわかります．一般的に売上高に占めるIT予算比率は１%前後という認識があり，売上の低迷はIT予算の減額に繋がります．その場合，現行システムの運用・保守費用がかかるため，IT予算のうちで新規投資に回せる予算は低下することになります．２章で見たように，日本のIT支出額が1990年頃から横ばいであったことは，経済規模が拡大していないことの原因でもあり結果でもあります．経済産業省からDXレポートが出された2018年頃から，IT予算比率が上昇を始めていることは，この業界の暗黙のルールが変わってきたことを示しているのかもしれません．

企業にとって売上増や費用削減につながるIT投資の有効性を評価できれば，このような暗黙のルールを破って投資額を増加することができるはずです．本章では，システム評価の方法について概観します．

7－2　情報システム投資の評価の現状

情報システム投資の評価で，経営目標に合った投資かどうか，投資プロジェクトの可否判断と投資案件の選別を行う**事前評価**と想定した通りの投資になったか確認を行う**事後評価**が重要です．投資の実行が計画通り進んでいるかを見る**中間評価**も重要です．

企業IT動向調査報（2023）では，売上高別IT投資の事前評価状況の調査を行っていますが，売上高の規模が小さくなるほど，事前評価の実施割合が低下します[25)]．また，事後評価にいたっては，売上規模による同様の傾向がありますが，実施していない割合は事前評価よりも増加します．また，企業IT動向調査報（2019）では，デジタル化の成果を調査していますが，事前評価も事後評価も行っていない案件ほど成果は得られなかったことがわかっています．つまり，成果を得るためには，事前評価はもちろんのこと事後評価もしっかりと行う必要があります．

7－3　情報システム投資額の見積もり

情報システムは導入時のイニシャル・コスト（システム開発費）と運用開始後のランニング・コスト（運用・保守など）の他に，共通コスト（ドキュメント作成費・教育費など）がかかります．イニシャルコストの多くは，資産として貸借対照表上に計上され，複数年に渡って減価償却費として損益計算書に費用計上されます．

情報システムの投資額を見積もる場合には，対象システム要件を明確化する必要があります．まずシステム化する範囲としない範囲を明確にします．システム化する範囲においてシステムに要求される機能（function）である**機能要件**とシステムに要求される機能以外の要件・

25）2022年度の調査では，全体で17.3％が事前評価を実施していません．

非機能要件を明確にします．**非機能要件**の中で最も重要なものは**品質**になります．

見積もりには，**プロダクト要因**（ソフトウェアの規模や要求品質のレベルなど）と**プロジェクト要因**（関係者のスキル・士気などの**人的要因**，スケジュール・関係者数などの**プロジェクト制約**，顧客の参加度合いなどの**プロセス要因**）が影響します．

また，ベンダーが当該システムに詳しい場合は見積もり範囲や内容が充実して高い見積もり額になります．一方，ベンダーが当該システムに詳しくない場合は，RFP (Request For Proposal：発注先候補の業者に具体的な提案を依頼する文書）に書いてある内容の必要最低限の機能しか見積もりで考慮されないために安い見積もりになります．ユーザー企業側が要件との適合度を正しく判断できない場合，見積もり額を根拠に業者を選定することは非常に危険です．

7－4　IT 投資別評価手法の概説

評価手法は主に財務的手法と非財務的手法に分けることができます．

業務効率によってコスト削減が把握できる場合は業務効率投資の評価に財務的な手法が用いられます．DX の文脈では**守りの DX 投資**に対応します．日本では業務効率投資の評価手法として主にペイバックが使われていますが，外国人投資家が日本の株式を取得する割当が増加して以降は，割引率を想定したNPVでの評価が増加しています[26]．

戦略投資は新規事業・商品サービス力・顧客満足度の向上などによって売上・収益を増加することを目的とした投資です．DX の文脈では，戦略投資は**攻めの DX 投資**に対応します．IT 寄与度は，２章のよ

26）篠田（2010）の日本における調査では，2008年の段階で情報化投資の評価で重視する手法として，ペイバック（期間回収法）関連は71％，ROI は11％，NPV は10％，リアルオプションは０％でした．北尾（2011）の同様の調査でもペイバックが最も利用されています．Ryan (2002) のアメリカの調査では，NPV を利用したことがある割合は99％です．

表７－１　IT 投資別評価手法一覧

投資タイプ	特　徴	主な評価手法
業務効率	既存の業務の効率化・省力化 投資対効果（B/C）の評価がシステム導入で削減できるコストと捉える場合には**財務的**な評価手法を用いる	**ペイバック**，IRR（Internal Rate of Return） ROI（Return On Investment），IRR NPV（Net Presetn Value），ABC/ABM
戦略	新規事業・商品サービス力・顧客満足度の向上など 事業収益とIT 寄与度の算定が難しいので**非財務的**な評価が用いることが多い	BSC，KPI，AHP，妥当性評価，DEA SLA，TAM，**ユーザ満足度**
インフラ	ネットワーク・ミドルウェアなどのシステム基盤を構築 キャッシュフローの算定が難しいので非**財務的**な評価手法を用いる ステークホルダー間の合意が重要になる	BSC，KPI，AHP，妥当性評価，DEA，SLA **合意形成**，**成熟度**，TAM，**ユーザ満足度** **リアル・オプション**，**セキュリティ評価**

うにIT 資産・非IT 資産や労働をインプットとした企業レベルの生産関数を想定して統計処理を行って求めることは可能ですが，一般的には適用が難しいため財務的評価を避ける傾向にあります．そのため，非財務的な評価が行われる場合があります．

インフラ投資はシステム基盤の投資であるため，それだけで投資の効果を測ることは難しいと言えます．そのため，戦略投資をインフラ投資のオプションと見立てて，**リアル・オプション**の手法を用いて，インフラ投資を財務的に評価する方法が取られる場合があります．アメリカでそれなりに利用されていますが，難解なため日本ではほとんど利用されていないのが現状です．

非財務的手法としては，経営者・情報システム部・事業部がそのシステム投資に一定のKPI（Key Performance Indicator：重要業績評価指標）でコミット（結果を約束）する合意形成が取れればそのシステムの導入が意思決定されるという**合意形成**アプローチなどがあります．合意形成という意味では，SLA（Service Level Agreement：サービスレベルの合意）を用いて合意を取ることも可能です．また，非財務のKPIを組み込んだ**バランスト・スコアーカード**（BSC）やユーザー満足度やセキュリティ評価，システム利用意向に影響を与えるシステム要因を分析してそのシステムの有用性を評価する**技術受容モデル**（TAM）を用いた評価も可能です．

7-5　財務的評価手法

ここで代表的な財務的評価手法について説明を行います．

ペイバック（投資回収期間）は，投資額（キャッシュアウト）が一定の期間（**カットオフ期間**）内に回収できるかどうかで評価します．投資額がカットオフ期間内に回収されない場合，投資は見送られます．「この投資は○年で回収できます」という説明は直感的にわかりやすいですが，(1)カットオフ期間後のキャッシュフローは検討の対象外であること，(2)キャッシュフローの現在価値を考慮していないという問題点があります．

ROI（Return On Investment：投資利益率）は，（キャッシュフローの合計－投資額）／投資額という比率の大小で複数の投資候補案件を判断する手法です．米国では最もポピュラーな評価手法です．ただし，ペイバックと同様にキャッシュフローの現在価値が考慮されていません．また，率で評価するため，ROIの高い案件が必ずしもキャッシュフローの額が大きいとは限りません．

NPV（Net Present Value：割引現在価値）は，耐用年数期間のキャッシュフローの現在価値によって投資案件を評価する手法です．将来のキャッシュ・インフロー（現金流入）の現在価値から，投資であるキャッシュ・アウトフロー（現金流出）の現在価値を差し引いた正味の金額がプラスになるかどうかで判断します．複数の投資案件の中で値が最も大きいものが有利になります．現在価値とは，キャッシュフローから資本コスト[27]やリスク（将来の為替・利率変動，経済環境の変化など）を考慮した金額分を割り引いた値のことです．例えば，現

27）資本コストとは資金調達コスト（お金を借りている場合は利息，株式で調達した場合は配当金）のことを指しています．

在の100万円を１年間５％の金利で運用すれば１年後は100(1＋0.05)＝105万円となります．そのお金を引き出さずにそのままもう１年同じ金利で預けると，{100(1＋0.05)}(1＋0.05)＝110.25万円になります．つまり，１年後の105万円，２年後の110.25万円を最初の100万円と比べるためには，それぞれ（1＋0.05）と（1＋0.05)^{2}で割る必要があります．一般的にはn年後の金額を最初の時点で評価するためには，n年後の金額を（1＋金利)^{n}で割る必要があります．時間割引率が考慮されている点で，ROIよりも正確な投資判断が可能になります．ただし，実際の投資は最初にすべて決定するのではなく，時間の経過とともに，投資の拡大，撤退等を選択します．将来に対する不確実性がない状態ではある程度正しいといえますが，変化の激しい現在ではかなり非現実であると言えます．そのため，最初にすべて決定するのではなく，投資の拡大，撤退をオプションと考える**リアル・オプション**の利用が望まれます．

IRR（Internal Rate of Return：内部収益率）では，投資によって得る将来キャッシュフローの現在価値と，投資額の現在価値とが釣り合うような割引率を求めます．つまり，NPV＝０となる割引率を求めることになります．この割引率が実際の割引率よりも大きい場合は，投資する価値があることになります．

ここで，ペイバック（PBP），NPV，IRR，ROIを用いた投資案件の評価結果を具体的な数値例で示しておきます．**図７-１**の表は，投資額が500のときの期待キャッシュインのシナリオとそのグラフです．割引率は５％を想定しています．

この問題では毎期の操業費用（ランニングコスト）が想定されていないので，毎期のキャッシュアウトはありません．キャッシュアウトがある場合は，各期のキャッシュインからキャッシュアウトを引く必要があります．PBPは累積キャッシュインが500を超えるのが早いb案件が採用されます．NPVは各期の値を割り引いて合計したものから投資額を引いて求めます．この場合は，a案件が採用されます．IRRは

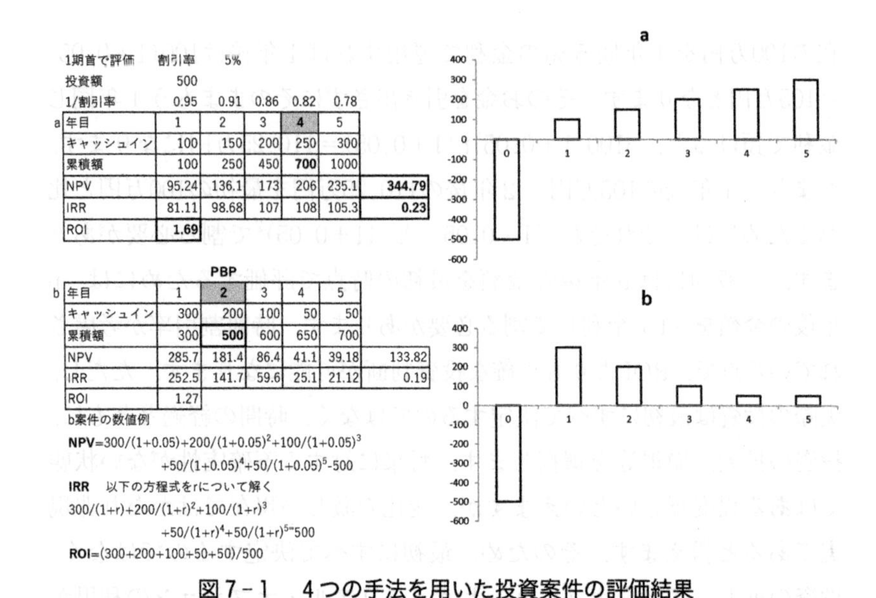

1期首で評価　割引率　5%
投資額　500
1/割引率　0.95　0.91　0.86　0.82　0.78

a	1	2	3	**4**	5	
年目	1	2	3	**4**	5	
キャッシュイン	100	150	200	250	300	
累積額	100	250	450	**700**	1000	
NPV	95.24	136.1	173	206	235.1	**344.79**
IRR	81.11	98.68	107	108	105.3	**0.23**
ROI	**1.69**					

PBP

b	1	**2**	3	4	5	
年目	1	**2**	3	4	5	
キャッシュイン	300	200	100	50	50	
累積額	300	**500**	600	650	700	
NPV	285.7	181.4	86.4	41.1	39.18	133.82
IRR	252.5	141.7	59.6	25.1	21.12	0.19
ROI	1.27					

b案件の数値例

NPV=$300/(1+0.05)+200/(1+0.05)^2+100/(1+0.05)^3+50/(1+0.05)^4+50/(1+0.05)^5-500$

IRR　以下の方程式をrについて解く

$300/(1+r)+200/(1+r)^2+100/(1+r)^3+50/(1+r)^4+50/(1+r)^5=500$

ROI=(300+200+100+50+50)/500

図7－1　4つの手法を用いた投資案件の評価結果

Excelで計算する場合はゴールシークで計算できます．大きい値のほうが良いのでa案件が採用されます．ROIは（キャッシュイン－投資額）／投資額になります．この場合は，a案件が採用されます．このように，PBP以外はa案件が採用されます．

この例では，ペイバック（PBP）以外のNPV・ROI・IRRでa案件が採用されることになります．日本では最もペイバックが利用されていますが，海外で最も使われているNPVと違った案件が採用される可能性があります．

第8章
情報システム評価概論(2) 非財務的手法

8-1 はじめに

北尾（2011）の調査では，非財務的情報の利用度合いは「財務情報と非財務情報を同等に参照する」がもっと高く，続いて「財務情報を優先し非財務情報を参考する」という回答が高くなっています．非財務情報を利用する理由として，「経済的評価の高さだけが投資の目的ではない」「経済性評価をしても当初の想定通りにならないことが多い」という理由を挙げるものが多くあります．

このように，日本では非財務情報が重視されてることがわかります．非財務的情報で投資案件を選択するためにはどういう点が重要であるか，本章では考えたいと思います．

8-2 多基準分析

海外では公共事業の評価に**多基準分析**が使われています[28]．**図8-1**にように，まず，状況を検討します．具体的には，**評価の目的**（意思決定・第三者説得），**評価の立場**（経営者・システム担当者・利用者），**評価の範囲**（空間的・次元・対象），**評価の時期**（事前・中間・事後），その他の前提条件を検討します．続いて，評価対象の代替案を列挙し

28) 情報システムの評価については鷲崎（2010）を参照してください．

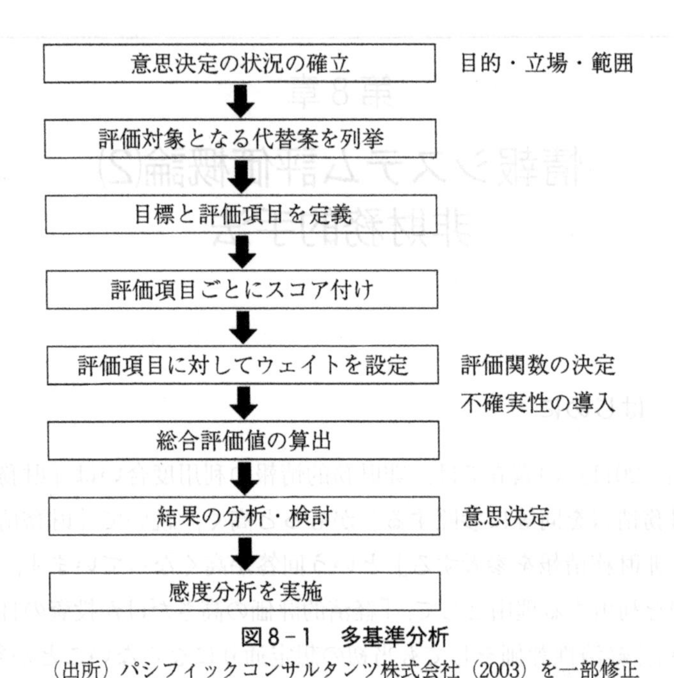

図8－1　多基準分析

（出所）パシフィックコンサルタンツ株式会社（2003）を一部修正

ます．そして，評価項目について評価します[29]．評価項目を設定し，その評価項目間の重みを決定し評価関数を決定します．そして，評価値を算出し，総合評価を行ないます[30]．評価関数の重みの決定方法には，評価の仕組みを階層構造で考えて重みを決める**階層的意思決定手法**（AHP）などがあります．

8－3　バランスト・スコア・カードによる評価

バランスト・スコアカード（BSC）は，組織の業績・効率に関する

29）完全性，重複性，操作性，独立性，二重計算の有無，数，インパクトなどで評価します．

30）社会心理学者のフィッシュバインの多属性態度モデルでも，ウェイト×評価値の合計を用いています．

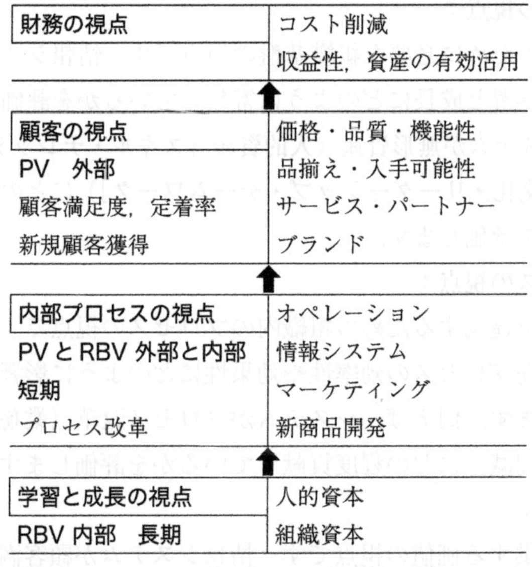

図８－２　バランスト・スコアカードと戦略マップ
著者作成

評価・管理に利用されます．BSCは，**図８－２**のように，「財務」「顧客」「業務プロセス」「学習と成長」の４つの視点から構成されています．「顧客」「業務プロセス」「学習と成長」の非財務指標（先行指標）と「財務」の財務指標（遅行指標）の因果関係をモデル化することによって，長期的な競争力を評価することができます．**戦略マップ**はBSCの各視点における戦略目標の因果関係を矢印で繋いで可視化するツールです．戦略マップを用いて，ミッションや戦略と対応する財務→顧客→内部→学習と成長の各段階における目標や業務指標へと逆に落とし込みます．重要成功要因（KPI: Key Performance Indicator）にもとづいた目標値を定めることによって，目標達成に向けた進捗管理と実行評価が可能になります．経営者が評価尺度を選択し，ステークホルダー間で各評価尺度の関係と目標値について合意に達した上で，適切な目標値が設定されます．情報システムの評価にBSCを用いる場合，以下のような手順で進めることが考えられます．

学習と成長の視点：

目標達成のために必要な組織基盤の視点です．情報システムが組織や個人の学習と成長にどのように寄与しているかを評価します．例えば，システムが**無形資産**（**人的資産**［**スキル・ナレッジ**］，**組織資産**［**組織文化・リーダーシップ・チームワーク**］）にどの程度貢献しているかを評価します．

業務プロセスの視点：

戦略目標を達成するための組織内のプロセスの視点です．情報システムが業務プロセスの効率性や効果性にどのように影響しているかを評価します．例えば，システムがプロセス改革（業務の自動化やエラーの削減）にどの程度貢献しているかを評価します．

顧客の視点：

顧客へ提供する価値の視点です．情報システムが顧客満足度などにどのように影響しているかを評価します．例えば，システムが顧客満足度，顧客ロイヤルティ，顧客定着率，新規顧客獲得率，顧客収益への貢献度などにどの程度貢献しているかを評価します．

財務の視点：

組織の長期的な目標や評価尺度の視点です．情報システムが企業の財務成績にどのように寄与しているかを評価します．例えば，システムが収益増・コスト削減・資産の有効活用などにどの程度貢献しているかを評価します．

これらの視点から評価を行うことで，情報システムのパフォーマンスを多面的に把握し，その価値を客観的に評価することが可能になります（投資効果の進捗状況モニタリングや**事後評価**）．ただし，指標間の因果関係の定量化は統計学の専門知識がいるため一般的には難しいでしょう．また，KPI の寄与度の評価が難しいので，成果連動型の業績評価を導入しようとすると，達成しやすい指標・目標が選ばれやすくなります．また，財務と非財務のバランスを欠いた評価指標群になりやすいことも指摘されています．指標の網羅性を高めようとするとBSC自体の有効性を低下させてしまうというパラドックスに陥る可能性があります．

8－4　ユーザビリティ評価

ここでは，非機能要件における品質の評価，特にユーザビリティ評価について解説したいと思います．

ニールセンは，**ユースフルネス**（有用性）を**ユーティリティ**（ユーザが望む機能をシステムが十分満たしているかどうか）と**ユーザビリティ**（その機能をユーザがどれくらい便利に使えるか）に分類しました．

ユーザビリティを，(1)**学習しやすさ**（システムは，ユーザがそれを使ってすぐ作業を始められるよう，簡単に学習できるようにしなければならない），(2)**効率が低くない**（システムは，一度ユーザがそれについて学習すれば，後は高い生産性を上げられるよう，効率的な使用を可能にすべきである），(3)**記憶しやすさ**（システムは，不定期利用のユーザがしばらく使わなくても，再び使うときに覚え直さないで使えるよう，覚えやすくしなければならない），(4)**エラーを起こさない**（システムはエラー発生率を低くし，ユーザがシステム使用中にエラーを起こしにくく，もしエラーが発生しても簡単に回復できるようにしなければならない．また，致命的なエラーが起こってはいけない），(5)**不満足ではない**（システムは，ユーザが個人的に満足でき，また好きになるよう楽しく利用できるようにしなければならない）の５点で評価しました．

ユーザビリティではネガティブな面を少なくすることが高いユーザビリティにつながると考えて，マイナスの改善という表現になっています[31)]．ユーティリティ（機能・性能）はポジティブな面での評価にな

31）狩野他（1984）は客観（物理的充足状況）と主観（満足度）をもとにして品質を３種類に分類しました．魅力的品質（充足されると満足だが不充足であってもしかた

ります．

この評価方法に対して，ISO（国際標準化機構）9241-11:1998は，ユーザビリティをもっと広く捉えて，**有効さ**（ユーザーが指定された目標を達成する上での**正確さ**，**完全性**），**効率**（ユーザーが目標を達成する際に，**正確さと完全性**に費やした資源），**満足度**（製品を使用する際の不快感の無さおよび肯定的な態度）の3点で定義しました．有効さ，効率が上昇すると満足度は高まります．ユーティリティ（機能・性能）が向上すると，有効さ，効率が高まり満足度を高めます．これは，ユーティリティを含んだニールセンのユースフルネスに相当する概念です．

主観的側面を重視し，機能性を高めることによってユーザビリティが向上し嬉しさにつながることを評価するものに，UX（User eXperience）があります．この観点から，近年の情報システムの評価モデルには直接，「システムを利用することは楽しい」などの質問を取り入れるようになっています．

8-5　技術受容モデルによる評価

情報システムを総合評価する方法にはフレームワーク以外にもここで説明するTAM, IS Success, TAUTなどがあります．

技術受容モデル（TAM: Technology Acceptance Model）は，情報システムの受け入れと使用を評価するための一般的なフレームワークです．TAMは，以下の2つの主要な概念によって技術の受け入れを評価します：

ないと受け取られる品質），当たり前品質（充足されて当たり前，不充足なら不満を引き起こす品質），一元的品質（充足されれば満足，不充足なら不満を引き起こす品質）の3つです．ニールセンのユーザビリティはネガティブな面を少なくすることを指しているので，当たり前品質に対応しています．それに対して，ISOのユーザビリティの定義は満足度を含んでいるので，魅力的品質に対応しています．

知覚有用性（Perceived Usefulness）：ユーザーが，システムを使用することで得られる利益や価値をどの程度認識しているか

知覚容易性（Perceived Ease-of-Use）：ユーザーが，システムを使用することに努力を必要としないことをどの程度認識しているか

これらの要素は，ユーザーの使用意図と実際の使用に直接的な影響を与えます．また，外部変数や社会的影響も重要な要素となります．これらの要素を説明する質問項目をアンケートやインタビューを通じて収集します．収集したデータを分析し，各要素がシステムの受け入れと使用にどのように影響しているか分析します．分析結果をふまえて，システムの使いやすさや有用性を向上させるための改善策を提案します．特に，それぞれの要素間のパスの大きさをシステム間で比較することによってどの要因を重視すべきかがわかります．システムの信頼性やセキュリティ，ユーザーの技術的なスキルや経験なども基本モデルに影響を与える可能性があります．これらの要素を考慮に入れることで，より包括的で正確な評価が可能になります[32]．

図8－4に示した，情報システム成功モデル（IS Success Model）は，情報システムの成功を包括的に理解するための理論です．このモデルは，DeLone & McLeanによって1992年に初めて開発され，その後，他

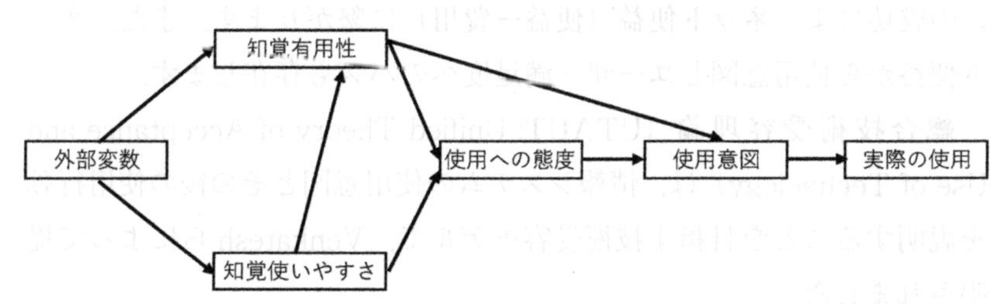

図8－3　技術受容モデル（TAM: Technology Acceptance Model）

（出所）Davis, Bagozzi, & Warshaw（1989）を修正

32）技術受容モデルの系譜と重要要因については渡邊（2021）を参照してください．

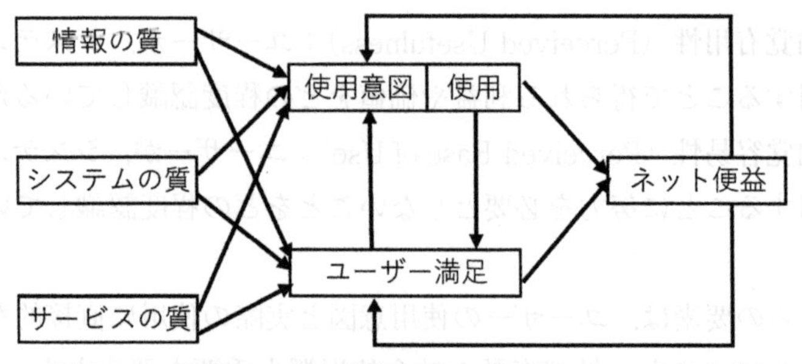

図8－4　情報システム成功モデル（IS Success model）

（出所）DeLone & McLean（2003）を修正

の学者からのフィードバックを受けて10年後にさらに洗練されました．

IS Success Model は，以下の重要な成功の要因を考慮します．

情報の品質：情報の正確性，適時性，関連性，理解しやすさなど
システムの品質：システムの機能性，信頼性，使いやすさ，パフォーマンス
サービスの品質：サポートやメンテナンスの品質

これらの３つの品質が**使用意図**と**ユーザー満足度**に影響します．**ユーザー満足度**が高まれば使用意図が高まり実際の**使用**になってユーザー満足度を高めます．そして，ユーザー満足度と使用からそのシステムの成功による**ネット便益（便益―費用）**に繋がります．また，ネット便益から使用意図とユーザー満足度へのパスも存在します．

総合技術受容理論（UTAUT: Unified Theory of Acceptance and Use of Technology）は，情報システムの使用意図とその後の使用行動を説明することを目指す技術受容モデルで，Venkatesh らによって提唱されました．

UTAUT は，以下の４つの主要な概念によって技術の受け入れを評価します．

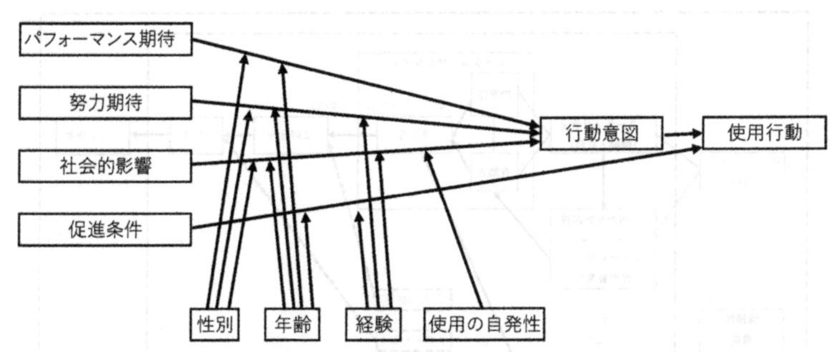

図８－５　総合技術受容理論（UTAUT: Unified Theory of Acceptance and Use of Technology）

（出所）Venkatesh ら（2003）を修正

パフォーマンスの期待：技術がどの程度役立つと感じるか（利益や価値）

努力の期待：技術の使用がどれほど簡単か（労力や困難さ）

社会的影響：他人（同僚や上司など）から技術を使用するように期待されていると感じるか

促進条件：技術の使用を支援するリソースや条件（時間，金銭，技術的なスキル）

これらの要素は，使用意図と行動の直接的な決定要素であり，性別，年齢，経験，使用の自発性がこれら４つの主要な概念の使用意図と行動への影響を調整するとされています．

UTAUT は，情報システム使用行動を説明するために以前の研究が採用していた８つのモデル（合理的行為理論，計画的行動理論，**技術受容モデル**，動機モデル，技術受容・計画行動複合モデル，PC 利用モデル，イノベーション普及理論，社会的認知理論）の概念を統合して開発されました．Venkatesh らによる UTAUT の縦断的研究の後の検証では，UTAUT が**使用意図**の70％の変動を説明し，**使用行動**については約50％を説明することがわかっています．そのため，このモデルを応用している研究の多くは使用意図を説明するところで終わってい

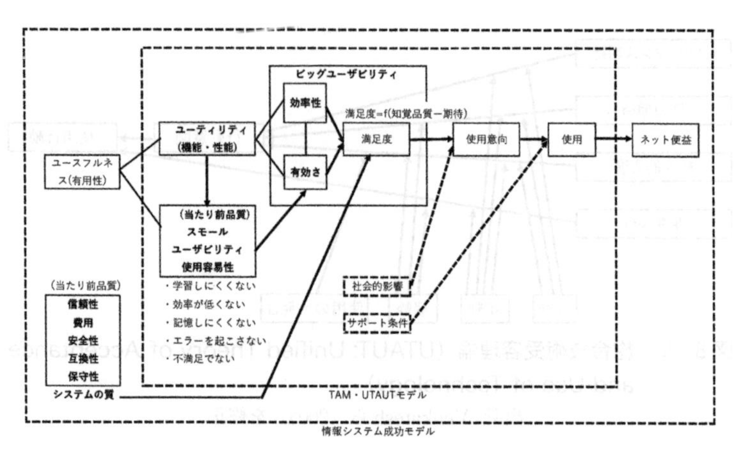

図8-6　統合モデル

著者作成

ます.

ここまで見てきたモデルをニールセンのユーザビリティの文脈と照らしあわすと，**図8-6**のように表すことができます．つまり，ユーザビリティの視点からそれぞれのモデルが重要と考える要因に焦点をあててモデル化していると言えます.

8-6　評価項目としてのフレームワーク

多基準分析における評価項目の洗い出しには，フレームワークが役に立ちます．フレームワークとは枠組みのことで，汎用的な機能や業務を定めたもののことを言います．**表8-1**は情報システムに関係のある主なフレームワークです.

ザックマン・フレームワークは，事業体を定義するためのフレームワークです．成果物のターゲットとなる人（オーナー，デザイナー，ビルダなど）の軸と解決すべき特定の課題（データ［What］，機能［How］，ネットワーク［Where］，人［Who］，タイミング［When］，戦略［Why］など）の軸を組み合わせて表します．システムを総合的

表８－１　主要なフレームワーク

EA ザックマン・フレームワーク
品質向上 CMM（Capability Maturity Model）CMMI（Capability Maturity Model Integration）
システム運用 ITIL（Information Technology Infrastructure Library）
ITガバナンス COBIT（Control Objectives for Information and related Technology）
システム監査 「システム管理基準」・「システム監査基準」経済産業省
品質管理 ISO/IEC
知識体系(BOK)
- **プロジェクト管理** PMBOK(Project Management Body of Knowledge)
- **ビジネス分析** BABOK(Business Analysis Body Of Knowledge)
- **ITアーキテクチャ** ITABOK(IT Architect Body of Knowledge)
- **ソフトウェアエンジニアリング** SWEBOK(Guide to the Software Engineering Body of Knowledge)

経営課題 IT-CMF(IT Capability Maturity Framework)
設計ドキュメントの表現やレビューのコツ 開発者ビューガイドライン
要件定義での要求レベルの確認 非機能要求グレード
経営・技術・組織の遵守事項 情報システムの信頼性向上に関するガイドライン
ソフトウェア開発者間での言葉を共通化する試み 共通フレーム2013

に，**漏れなくダブりなく**（MECE: Mutually Exclusive and Collectively Exhaustive）評価するためには，フレームワークを用いることが有効です．

8－7　システム監査

ここで独立した立場でシステムを評価するシステム監査について説明しておきます．

システム監査とは「監査人が，一定の基準に基づいてITシステムの利活用に係る検証・**評価**を行い，ガバナンスやマネジメント等について，一定の保証や改善のための**助言**を行うものであり，システムの信頼性等を確保し，企業等に対する**信用**を高める重要な取組」を指しています．一定水準を満たしていることを保証する場合は**保証型監査**，一定水準またはそれ以上にするために助言する場合は**助言型監査**と言います．

監査では，**監査目的**に基づき，**ガバナンス**（経営目的や経営戦略に沿っているか)，**マネジメント**（PDCAサイクルの確立)，**リスクに対するコントロール**，及びこれらの**統合的視点**（組織体の目的達成を効果的かつ効率的に支援しているか）から検証する必要があります．**リスクに対するコントロール**については，(1)ビジネス目標によって変化するリスク（期待される結果からの乖離）の把握の適切性の点検・評価，(2)リスクに応じたコントロールが適切に組み込まれ，機能しているかどうかで評価します．

システム監査基準はシステム監査のあるべき体制や実施方法等を「システム監査の意義と目的」,「監査人の倫理」「システム監査の基準」からまとめたものです．また，**システム管理基準**はITシステムの利活用において共通して留意すべき事項を体系化・一般化してまとめたものです．システム監査の効率的・効果的遂行を可能にするための判断尺度をまとめています．

リスク[33]**に対するコントロール**の評価項目は，**有効性**（情報システムによる組織体の目標達成度合い)，**効率性**（情報システムの資源の活用および費用対効果の度合い)，**信頼性**（情報システムの品質ならびに障害の発生，影響範囲および回復の度合い)，**安全性**（機密性，完全性，可用性：情報システムの自然災害，不正アクセスおよび破壊行為からの保護の度合い)，**準拠性**（情報システムが関連法令，契約，内部規程など守るべきルールを遵守している度合）になります．

また，情報セキュリティを監査する場合は，**機密性**（Confidentiality：業務上必要な者が必要な時に，必要な情報にしかアクセスできないこと)，**完全性**（Integrity：データの正確性と信頼性)，**可用性**（Availability：システムを利用したいときに利用できる状態）の3点

---

33) リスク値＝情報資産の価値×脅威×脆弱性　脅威とは人為的意図ミス（不正アクセス）人為的偶発的（操作ミスなど）非人為的偶発的（災害，故障）を指しています．脆弱性は攻撃難易度×管理レベルを指しています．例えば，クラウドコンピューティングには，インターフェースの障害，社内クラウド利用の混在による非効率，複数のクラウド利用による非効率，処理の誤り・遅延，サーバーの押収，事業者の撤退・倒産などの継続性，データの漏洩・毀損などのリスクが考えられます．

(CIA) で評価することになります．システム監査と情報セキュリティ監査は，信頼性や安全性の面では重複していますが，有効性，効率性についてはシステム監査だけで評価を行います．また，情報セキュリティ監査では情報システム以外の情報資産も監査の対象です．

8－8　デザイン思考

システムの**有効性**を評価するために必要な思考方法としてデザイン思考を説明しておきます．デザインとは目的をもって具体的に立案・設計することです．造形作品・図案・模様を作ることはデザインではなくスタイリングと言います．**デザイン思考**は，問題の本質を**インサイト**（潜在的ニーズにつながる心の表現：気づき，見識，知見）としてとらえ，そのインサイトに基づいた解決策をデザインすること，そのプロセス，その考え方です．ユーザーが気づいていないシステム化の要望をデザイン思考で要件に追加することができます[34]．

デザイン思考には５つのプロセスがあります．**共感・問題定義・発想・プロトタイプ・テスト**です．**共感**において，ユーザーが気づいていない潜在的ニーズを，**観察**によって見つけます．顕在化された統計データからはわからない潜在的な要因を観察によって見つけます．観察方法には，**インタビュー**，**エクストリームユーザー**（極端な利用者）の観察，体験（**参与観察**）があります．観察の結果を，**ペルソナ，共感マップ，カスタマージャーニーマップ**を用いてまとめます．発想・プロトタイプにおいて，アイデアを創造，構築，検証するプロセスに，**ブレインストーミング，プロトタイピング**を用います．テストにおいて，アイデアを実現化するプロセス（検証，承認）を行います．

次章で説明するDXにおいても，デザイン思考を用いれば革新性のある**顧客体験**（UX）を提供することができます．また，アジャイル開

34) 詳しくは，デザイン思考研究所のHPに掲載されている教材をご覧ください．動画による解説もあります．

発と高い親和性があり，プロトタイピングやテストを用いてユーザーのフィードバックを得ることで，ユーザーの真のニーズを捉え，迅速に改善を繰り返すことが可能となります．

第9章
DX（デジタル・トランスフォーメーション）の課題

9-1　はじめに

本章は，今までの章で説明してきた内容をもとに，急速な環境変化にDX[35]で対応するための課題を述べます．結論を先の述べておきますが，経営者がDX推進にコミットして，IT部門とデジタル組織と現業部門が協調してデジタル技術を活用する組織になることができるかが重要になります．危機感を持たなければ，日本は情報後進国から脱出できません．情報後進国から脱却するための条件について説明します．

9-2　DXとは

DX（Digital Transformation）という言葉は日本では2017年ころから知られるようになってきましたが，決して目新しい概念ではありません．スウェーデンのStoltermanは，DXは「ITの浸透が人々の生活をあらゆる面でよりよい方向に変化させる」ことだと定義しています．

日本では経済産業省の以下の定義が最も浸透しています．

> 企業がビジネス環境の激しい変化に対応し，データとデジタル技術を活用して，顧客や社会のニーズを基に，製品やサービス，ビ

35) Transの同義語にCrossがあります．Cross（交差）を視覚的に表現した文字がXです．そのため，Crossの同義語Transの省略にもXを使います．

ジネスモデルを変革するとともに，業務そのものや，**組織，プロセス，企業文化・風土**[36] **を変革**し，競争上の優位性を確立すること

つまり，デジタル技術を活用して経営の在り方やビジネスプロセスを再構築することを意味しています．デジタル技術（Digital Technology）は，情報をデジタル表現し処理する技術を指します．情報技術は情報の管理と利用に焦点を当てているため，デジタル技術は情報技術に含まれると考えられます．

5章のビジネスモデル・イノベーションで説明した用語を用いれば，デジタル技術によって**主要プロセス**などのビジネスモデルの一部を高度化[37] するだけではなく，**利益方程式**や**顧客価値提案などのビジネスモデルそのものも変革さらにその根底にある企業文化・風土までも変革する必要があります**．

では，具体的に各産業でのDXの取り組みを見てみましょう．

金融業：Fintech企業に対抗するために店舗中心のビジネスを変革
小売業：実店舗とEC（電子商取引）とコールセンターを融合してシームレスにサービスを提供（**オムニチャンネル**）
航空業：顧客情報を**一元管理**し利便性の高いサービスを提供，移動サービスへの転換（**アバター**）
鉄鋼業：工場～現場までの一貫部材管理（**IoT技術**）や経営情報の可視化などのデータ解析**プラットフォーム**の構築

36）環境や状況によって影響を受ける共通性・普遍性の高い心理的基盤である**組織風土**の上で会社ごとの成功体験や価値観から生まれる**組織文化**が育ち，その上で**組織能力**が形成されます．

37）デジタル技術による主要プロセスの高度化は，例えば，自動化，異常検知，需要予測などが考えられます．

建設業：顧客データを収集しサービスを提供する**全社的プラットフォームの構築**
自動車製造業：自動車販売から自動車サービスへの転換（MaaS）

このように，キーワードとして，サービス化，情報連携，プラットフォーム，ビジネスモデル変革が挙げられます．

9－3　日本におけるDXの現状

経済産業省は，2018年のDXレポートの中で，レガシーシステムを使い続けると2025年以降レガシーシステムによる経済損失は１年あたりで約12兆円になると試算しています[38]．経済産業省の定義では，レガシーシステムとは，「技術面の老朽化，システムの肥大化・複雑化，ブラックボックス化等の問題があり，その結果として経営・事業戦略上の足かせ，高コスト構造の原因となっているシステム」のことを意味しています．４章で説明した，特定のベンダーに依存する**ベンダーロックイン**の状態で**技術的負債**（DX推進に回すべき予算が不要な既存システムの運用・保守に使われる）が残ると，DXなどのデジタル技術を用いた新商品・サービスの提供ができなくなります．また，技術的負債となった**レガシーシステム**は**サイバーセキュリティの脅威やシステムトラブルによる損害を起こし**，社会的なレピュテーション（評判）リスクを高めることになります．

DXレポートで警鐘が鳴らされましたが，2020年のDXレポート２では，「DX＝レガシーシステム脱却」と間違って捉えられたため，**デジタル産業**となるようなDXが進んでいないことが報告されました．

38）過去のデータ損失やシステムダウン等のシステム障害により生じた１年間の損失額に，レガシーシステムに起因して起こる可能性がある**セキュリティ・ソフト不具合・性能容量不足・ハード故障・不慮の事故**の割合を掛け，2025年の段階で21年以上稼働する基幹系システムはトラブルリスクが３倍になると仮定して推定しています．

その後，2021年のDXレポート2.1でデジタル産業を明示し，2022年のDXレポート2.2でデジタル産業の**アクションプラン**が示されました．アクションプランは，(1)デジタルを省力化・効率化ではなく収益向上にこそ活用すべきであること，(2)DX推進にあたって経営者はビジョンや戦略だけではなく「**行動指針**（社員全員のとるべきアクション)」を示すこと[39]，(3)個社単独ではDXは困難であるため経営者自らの「価値観」を外部へ発信し同じ価値観をもつ同志を集めて互いに変革を推進する新たな関係を構築すること，の3点です．特に，3点目の視点は，産業主導でないと個では動けない日本社会を象徴しています．

企業IT動向調査報（2022）では，ユーザー企業のデジタル投資の割合は，DXレポート発出後も変化がなく，デジタル投資のうち既存ビジネスの維持・運営に約8割が使われています．DXレポート2.2では，「経済産業省が提案した**DX推進指標**の値は年々改善していますが，新規ビジネスへのデジタル投資が行われていない現状から，DX推進に対して投入された経営資源が企業成長に反映されていない」，と報告しています．

DX白書2023では，日本ではビジョンや方向性が明確で従業員に周知されており，個人の事情に合わせた柔軟な働き方を提供していると回答した企業の割合が比較的高くなっていますが，これらの数字は米国よりも低く，特に，**心理的安全性**[40]，情報共有，スキル報酬が低いことが報告されています．

39）DXレポート2.2のデジタル産業への変革に向けた研究会は，行動指針を全社に浸透させるため，ビジョン駆動（過去の成功体験やしがらみを捨て自らのビジョンを目指す），価値重視（コスト削減ではなく創出する価値に目を向ける），オープンマインド（あらゆるプレイヤーとつながる），継続的な挑戦（すぐ撤退するのではなく試行錯誤を繰り返す），経営者中心（経営者が牽引して全員で積極貢献する）の5点のデジタル産業宣言を作成することを推奨しています．

40）心理的安全性とは，チーム内で他のメンバーに自分の発言を否定されることなく安心して活発に意見交換ができる状態を指しています．心理的安全性が高い組織では，**エンゲージメント**（会社への愛着心）の高い従業員が増え，チームのパフォーマンスも向上します．

また，2章で紹介した2023年のIMDデジタルランキングでは企業の俊敏性が64位であり調査対象国中で最下位でした．Hofstedeら（2013）のIBMを対象にした各国の文化に関する比較研究では，日本は不確実性の回避指標は76カ国中で11位，長期志向指標では3位でした．また，Meyer（2014）の調査では，日本は他国に比して，決断が合意志向であり，見解の相違に対しては対立回避型であることがわかっています．このように，何ごとも合意形成が取れるまで時間がかかり，不確実性に対しては回避傾向が強い文化では，変化に対して組織を柔軟に変えることは難しいと言えます．ただし，国全体の文化がそのようなものであっても，個々の企業の組織文化が変革できないわけではありません．

9-4　DXの課題

まず，DXレポートでも警鐘が鳴らされた**レガシーシステムの刷新**について説明します．レガシーシステムの刷新ができれば，(1)全社横断のデータ連携・活用，(2)既存のシステムの運用管理や保守にとられていた人材と資金をDXに向けることができます．ただし，発注者側のケイパビリティの向上，マネジメント体制の強化がなければ，再レガシー化する恐れがあります．経営者は**攻めのDX**に興味がありますが**基幹系システム**に興味がありません．基幹系システムはとりあえず問題なく動いている場合，問題視されずにレガシー化が進行してしまいます．しかし，攻めのDXの効果を上げるには基幹系システムの刷新にもコミットする必要があります．

次にDXを推進する人材についてです．経営者がコミットすることは必要ですが，上意下達の組織構造を破壊する必要があります．組織改革できるCDO（Chief Digital Officer：最高デジタル責任者）に権限移譲し，所属するデジタル組織とIT部門と現業部門が協調して改革を行う必要があります．CDOの権限や役割が弱い企業ではDXの成果は出ません．6章で説明したように，ベンダーに丸投げせずにユーザー企業もデジタル技術とビジネスの両面に通じるDX人材を積極的に採用する必要があります．ただし，中小企業の場合，専任のCDOやDX人材を置くことは非現実であり，社内から変革を自分ごとと考えることができる人材をDX人材に育成する必要があります．

デジタル技術を用いた新商品・サービスを創造するためには，新しい概念や理論，原理，アイディアの実証を目的とした，試作開発の前段階における検証やデモンストレーションを繰り返す実証実験（PoC: Proof of Concept）が必要になります．ただし，簡単には実現可能な新しいコンセプトやアイデアを出すことができないので成果を上げることができずに責任の所在が曖昧になる場合があります（**PoC疲れ**）．その際に，経営者の理解がなければ，このプロジェクトから撤退という事態にもなりかねません．使いたい技術ありきで実現したいサービスが不明確であれば結果には繋がりません．また，PoCの検証項目が不十分（何が成功か曖昧）であると効果の見極めが困難になります．収益性，PMF（Product Market Fit：顧客のニーズを満たしている），**技術的実現可能性**を考慮して，**継続的な挑戦**ができる環境にする必要があります．

9-5　DXの評価

DXの推進状況を評価する方法として，経済産業省のDX推進ガイドラインがあります．DX推進のための経営の仕組みとして，(1)経営戦略・ビジョンの提示．(2)経営トップのコミットメン(3)DX推進のための体制整備(4)投資等の意思決定の在り方(5)スピーディーな変化への対応とDX実現する上で基盤となるITシステムの構築（体制・仕組み，実行プロセス）が示されています．

また，経済産業省は上場企業の中から**DX銘柄**を選定しています．一次審査の評価項目は，**DX実行能力**（ビジョン・ビジネスモデル，戦略，戦略実行のための組織・制度等戦略実行のためのデジタル技術の活用・情報システム，成果と重要な成果指標の共有，ガバナンス）になります．二次審査では，**企業価値貢献**（既存ビジネスモデルの**深化**，業態変革・新ビジネスモデルの創出）について質問されます．

また，定性指標（成熟度6段階）[41]，定量指標からなる**DX推進指標**に基づいて，自社のDXの進捗状況を確認できるようになりました．ただし，分析にはそれぞれの指標の平均値や指標の合計値が用いられており，項目間の重要性の順序付けが行われていません．既存のDX推進指標は経営者・責任者の視点で仕組みがあるかどうかに重点が置かれています．仕組みが機能するかどうかは現場の視点が必要です．

9-6　DXの理論

Vial (2019) はDXの理論的裏付けは**ダイナミック・ケイパビリティ**であると説明しています．

5章で説明したように，**ケイパビリティ**は価値を提供するための組織の能力です．ケイパビリティの構築には，**経営資源**（人，モノ，金，デジタル・IT）と**オペレーション**（経営資源を使いこなす能力：プロセス，ノウハウ，組織）の掛け算が重要です．経営資源は多くは模倣可能ですが，オペレーションは経路依存であるため模倣が困難です．そのため，他社を模倣して経営資源であるデジタル資産を取り入れても，激変する経営環境に対応してオペレーションを十分に変革できなければ競争優位を得ることはできません．

ケイパビリティには，オーディナリー・ケイパビリティとダイナミック・ケイパビリティがあります．**オーディナリー・ケイパビリティ**

41）定性指標は，ビジョン経営，トップのコミットメント，仕組み（マインドセット・企業文化［体制・KPI・評価・投資意思決定・予算配分］），推進・サポート体制（推進体制・外部との連携），人材育成・確保（事業部門における人材・技術を支える人材・人材の融合），事業への落とし込み（戦略とロードマップ・バリューチェーンワイド・持続力）になります．野中（2020）では，それぞれの質問から想定した因子が存在していることが確認されています．

(OC) は，与えられた経営資源をより効率的に利用して，利益を最大化しようとする能力のことです．この能力は比較的に再現が容易で模倣できます．

一方，**ダイナミック・ケイパビリティ** (DC) は，環境や状況が激しく変化する中で，企業がその変化に対応して自己変革する能力のことです．十分な DC が企業にあれば，急激な環境変化（機会・脅威）を**感知**（sense）し，そこに見いだされる機会を捉えて既存の資源，ルーティン，知識を**再利用**（seize）し，ビジネスモデルの要素を体系的に再編成し，組織や戦略を**トランスフォーミング**（transforming）することができます．**分権化**によってフラットに協業し，**アジャイル**（俊敏）に事業に取り組むことができれば，DC の仕組みが効率的に機能し，組織の迅速さ（**組織アジリティ**）[42] とチーム力，起業家志向，業績が向上します．これらの能力をバランス良く持つことで，企業は変化する環境に対応し，持続的な競争力を維持できます．この能力は再現が困難で模倣は困難です．

また，**両利きの経営**も DX と親和性が高い理論です．両利きの経営とは既存の認知の範囲を超えて遠くに認知を広げていこうとする**知の探索**と一定分野の知を継続して深掘りし磨き込んでいく**知の深化**を同時に行う経営のことを指しています．O'Reilly は，両利きの経営の理論的基礎は DC であると説明しています[43]．

新規事業の**探索**は，既存事業の**深化**からのサポートとリソース（資産・能力）を活用します．ただし，既存事業が稼いだお金や資産が成

---

42) 製品の動作や機能をデジタル技術を用いたソフトウェアで制御している場合，そのプログラムをアップデートすることで迅速に変化に対応することができます．つまり，デジタル技術は組織アジリティと高い親和性があります．

43) O'Reilly & Tushman (2008) は両利きの戦略を成功させるための条件は，(1)明確な**戦略的意図**（その戦略はビジョンの実現につながる），(2)経営陣の関与とサポート，(3)両利きの組織設計，(4)共通のアイデンティティ（ビジョン，価値，および文化）の存在であるとしています．また，トップリーダーが，(1)戦略的意図の提示，(2)部門間の緊張の調整，(3)部門間の徹底的な議論の支援，(4)探索と深化の間の矛盾への対処，(5)評価基準の採用の役割を担うことが重要であると述べています．

果が出るかわからない新規事業に使われることに対する既存事業部門の抵抗を防がなければなりません．トップが示した企業の存在目的に従って，戦略と組織の目指す姿を描き，そこで求められる**組織能力**を生み出せるように組織の基本四要素である「KSF（重要成功要因）」「会社固有の制度」「人材」「**組織文化**」のアラインメント（結合）を見直す必要があります．**組織文化**は，ある組織内で想定されている（期待されている）「仕事のやり方」であり，「仕事に対する姿勢」です．

組織文化を変えるには，トップ以外の組織の構成員，特にミドル層の人々が，トップのシグナルに呼応して**自ら**動きださなければなりません．イノベーションとスピードを重視し，フレキシブルに，新しい試みを歓迎することが必要です．失敗を回避するのではなく，やってみることを良しとする**心理的安全性**のある組織になることが重要です．また自社の視点だけではなく，市場・顧客の視点に対する洞察を大切にすることが必要です．

Kotter（2002）の変革の８段階はDX推進にとっても示唆に富んでいます．

(1)外部環境の変化に対して危機意識を高める
(2)変革推進のための連携チームを築く
(3)ビジョンと戦略を生み出す
(4)変革のためのビジョンを周知徹底する
(5)従業員の自発を促す
(6)短期的成果を実現する
(7)成果を活用してさらなる変革を推進する
(8)新しい方法を企業文化に定着させる

まず，意識改革をし，経営者がビジョンと戦略を示すだけではなく，従業員に**自分ごと**として受け止めさせて自発を促さなければ，形だけの変革で終わってしまいます．３ヶ月から半年までの間に小さなもの

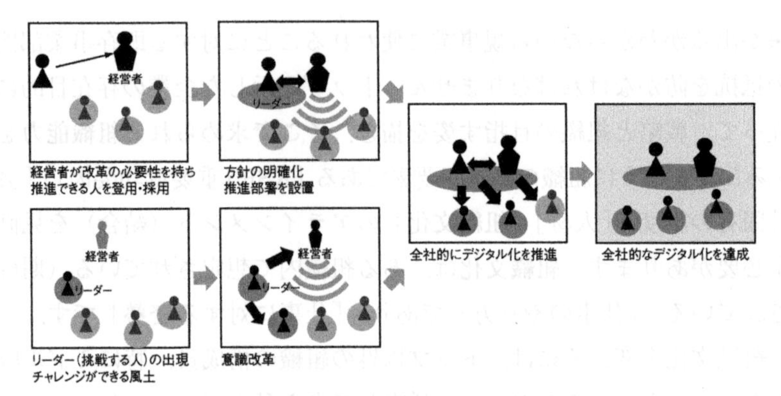

図 9－1　企業におけるDXの進め方

（出所）IT 人材白書2017　P. 8

でも構いませんので成功体験（クイック・ウイン）を経験しないと，変革への意欲が削がれてしまいます．Kotter（2002）によると組織変革は 8 -10年の時間がかかります[44]．

IT 人材白書（2017）の調査から，企業におけるDXの進み方として，以下のプロセスが推奨されています（**図 9－1**）．

まず，経営者が改革の必要性を持ち，推進できる人を登用・採用します．そして，方針を明確化し，推進部署を設置します．また，リーダー（挑戦する人）が出現し，チャレンジができる風土を醸成する必要がります．そのリーダーのもと，社員は意識改革を行います．この両方のルートから，全社的にデジタル化が推進され，全社的なデジタル化を達成できるようになります．左上のルートは中小企業に，左下のルートは大企業に向いています．この進め方は，Kotter の変革の(1)－(5)と類似していることがわかります[45]．

44）IT 人材白書　2020

45）Watanabe（2023）では，心理的安全性を中心とした組織要因から戦略要因・DX 要因へと進むことを統計的因果探索の手法で確認しています．これは，Kotter や IT 人材白書（2017）と整合的な分析結果になっています．

9－7　DX事例　中外製薬

ここでは，2022年にDX銘柄でグランプリを取った中外製薬を例にDXの進め方を先ほどの理論に照らし合わせて説明します．中外製薬は，がん領域医薬品・抗体医薬品で国内トップのシェアを持つ製薬会社です．独自の抗体エンジニアリング技術を持っており，**AI創薬**の分野で国内を牽引しています．スイスのロシュ社と戦略的提携をスタートし，現在はロシュ・グループの傘下となっています．そのため，多様な社員が働いています．

中外製薬は，CHUGAI DIGITAL VISION 2030「デジタル技術によって中外製薬のビジネスを革新し，社会を変えるヘルスケアソリューションを提供するトップイノベーターになる」を掲げています．図9－2は，その具体的な絵姿です．

デジタル基盤として，デジタルイノベーションラボ（DIL）は，社員のアイデアを具現化し，デジタルの観点から**業務改善**や**新たな価値創造**を創出する場となっています．**トライ・アンド・エラーの推奨と**

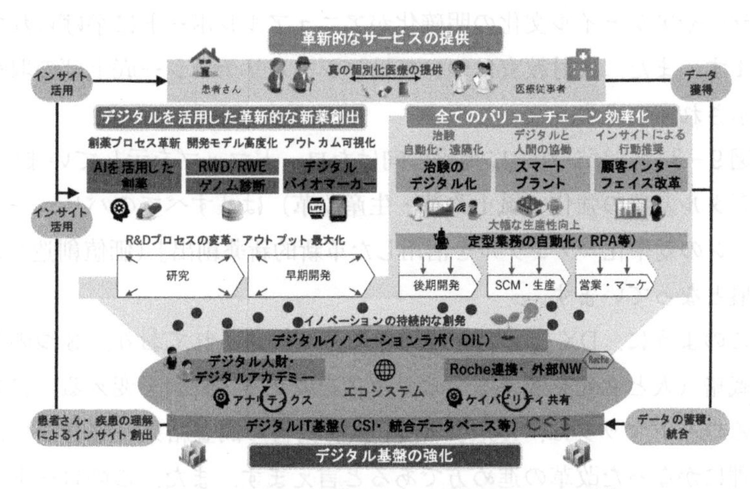

図９－２　CHUGAI DIGITAL VISION 2030の絵姿

（出所）中外製薬 HP　会社概要

失敗の許容，挑戦する風土形成に繋がっています．図では，イノベーションに必要なサイクルが示されています．また，デジタル人財・デジタルアカデミーは**デジタル人財**を体系的に育成する仕組みです．Chugai Scientific Infrastructure（CSI）は，全社**データ利活用**の推進を目的とした，大容量のデータを安全に利用，移動，保管するためのクラウド基盤になっています．

また，**バリューチェーン効率化**として，顧客インターフェイス改革［インサイト］，治験のデジタル化［自動化・遠隔化］，スマートプラントの実現，定型業務の自動化［RPA］に取り組んでいます．

そして，**デジタルを活用した革新的新薬創出**として，リアルワールドデータ（RWD日常の実臨床の中で得られる医療データ）による開発モデルの高度化とデジタルバイオマーカー（スマートフォンやウェアラブルデバイスから得られるデータを用いて，病気の有無や治療による変化を客観的に可視化する指標）の開発によるアウトカム**可視化**，そしてAI**創薬**を挙げています．

組織・文化要因として，トップのコミットメント，CDOやデジタル専門組織の設置，スタートアップとの協業会社などの体制，トライ&エラーやアジャイル文化の明確化がアニュアルレポートに挙げられています．また，人財教育についてはデジタルリテラシー底上げの取組が示されています．

図9－3は，ビジョンに実現に向けたロードマップを示しています．デジタル基盤の強化（**風土改革・生産改革**）は「すべてのバリューチェーンの効率化⇒デジタルを活用した革新的新薬創出」（価値創造）の基盤となっています．

このように，DXに必要な要因の多くが網羅されており，３つの基本戦略（人と文化を変える・ビジネスを変える・社会を変える）に対するロードマップは，KotterやIT人材白書の調査結果と整合的で最も理にかなった改革の進め方であると言えます．また，このロードマップは，８章で紹介したBSCの「学習と成長」と「デジタル基盤の強

図９－３　中外製薬の３つの基本戦略とロードマップ
中外製薬アニュアルレポート2021　P. 41

化」が,「業務プロセス」と「すべてのバリューチェーンの効率化・デジタルを活用した革新的新薬創出」が,「顧客」と「革新的サービスの提供」が対応していると解釈できます.

第10章
イノベーションを生む環境とは

10-1　はじめに

加藤（2022）で示されているように，株式時価総額上位10社に1990年以降の創業企業が5社入っているアメリカと違って，日本では1社も入っていません．アメリカの上位10社のうち7社はGAFAM[46]を含むIT企業です．GAFAMのうち，Apple，Microsoft以外は，2章で説明した情報革命（1990年－）開始以降に生まれた会社です．

情報技術の発達はイノベーションの機会を増やすでしょうか？イノベーションを生む環境について説明します．

10-2　イノベーションとは

Schumpeter（1977）は，**新結合**（生産要素の新しい組み合せ）が経済活動の慣行軌道の変更すなわち非連続的変化（創造的破壊）をもたらし経済を発展させることをイノベーションと名付けました．Drucker（2007）は，イノベーションをより優れたより経済的な財やサービスを作ることとしています．また，Christensen（1997）は，イノベーションとは技術の変化であると捉えています．

Schumpeterは，イノベーションを，**(1)新しい商品の創出，(2)新しい生産方法の開発，(3)新しい販路の開拓，(4)原材料の新しい供給源（仕入先）の獲得，(5)新しい組織の実現**の5つに分類しています．一般的

46）Google（Alphabet），Amazon，Facebook（Meta），Apple，Microsoft

に，イノベーションとして(1)(2)がイメージされますが，(3)−(5)もイノベーションに該当します．

イノベーションには様々な分類方法があります．まず，**急進的**（radical）と**漸進的**（incremental）に分類することができます．急進的イノベーションでは，新製品・サービスが既存の製品やサービスよりも低価格であったり，性能が格段に良くなったりすることで，一気に顧客を引きつけます．従来のものから**不連続的**（discontinuous）に進行し，大きな変革をもたらします．一方，漸進的イノベーションは，既存の製品・サービスを少しずつ改良し，性能を向上させることです．**連続的**（continuous）に進行し，小さな変革をもたらします．

次に，**オープン**（open）と**クローズ**（close）で分類することができます．一つの組織の中だけで起こるクローズ・イノベーションか，外に開かれた組織で起こるオープン・イノベーションかの違いです．クローズにすれば技術の秘匿が可能になります．ただしクローズで発明した技術特許のような模倣困難で競争優位をもたらす経営資源は，場合によっては企業の**柔軟性**を奪うことがあります．柔軟に環境に対応できる**ダイナミック・ケイパビリティ**を重視するなら，社内に無い**ケイパビリティ**をオープン・イノベーションで獲得することが必要になります．オープンにすれば，自社の知見がない領域の技術を外部から補うことや開発スピードの高速化の利点があります．

部品（modular）と**アーキテクチャー**（architecture）による分類もできます．違いは，部品に着目するか，システムやアーキテクチャーに着目するかです．部品イノベーションは，性能向上，新機能追加，コスト削減のために，製品・サービスの部品の改善・置き換えによって行われます．アーキテクチャーイノベーションは，**全体的**なパフォーマンス向上・新機能や能力の提供，新市場（顧客）への対応のために，製品・サービスの**全体的**な設計や構造（アーキテクチャ）を変更することによって行われます．これは部品のまとめ方を変えるイノベーションで，大々的な技術進歩に基づくものではありませんが，既存

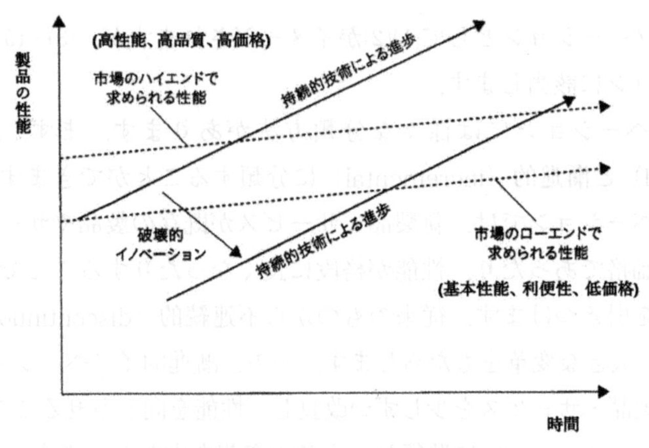

図10-1 イノベーションのジレンマ

（出所）クリステンセン（2001）に追記

の製品・サービスに破壊をもたらします．

そして，破壊的（destructive）と持続的（Sustaining）による分類です．**破壊的イノベーションは新しい市場**や価値ネットワークを作り出し，既存の製品のシェアを奪うイノベーションです．従来の製品やサービスを超える新しい価値を提供し，消費者の行動や期待を変えることができます．**持続的イノベーション**は市場でシェアを持っている企業が製品の改良を行い競争力を向上させるイノベーションです．**既存の市場**や価値ネットワークを維持しながら，製品やサービスの品質を向上させます．漸進的イノベーションは既存製品の改良に，持続的イノベーションは既存の市場に重点が置かれている点に違いがあります．

この**破壊的イノベーション**の文脈で，Christensen（1997）の**イノベーションのジレンマ**について考えることは重要です（図10-1）．この考えは，大企業が既存顧客の要求に応えて既存技術の改良（持続的技術）を続けると過剰性能になり破壊的技術を持った新興企業の登場を許しそれに負けてしまうことを指しています．新興企業は固定費が小さいので，低い利益率や小規模市場を受け入れますが，大企業では無理です．企業はそれぞれ同じ価値，同じ用途，重視される性能指標ごとに結び付けられた業界の**バリューネットワーク**を形成しています．それぞれのバリューネットワーク内で**能力**，**組織構造**，**組織文化**が形成され，柔軟性が無くなっていきます．**組織文化**である**価値基準**（既存顧客の要求など）に従って**業務プロセス**が決まり，必要な**経営資源の配分**が決定します．

技術がモジュール化されていない，顧客の要求に達していない段階では，持続的技術を進めることが得策です．当初は，顧客は**機能性**や**信頼性**などの品質を重視していますが，品質が必要十分になると，**利便性**，**カスタマイズ性**，**価格**が重要になってきます[47]．破壊的技術の品質が必要十分になった段階で，大企業は柔軟性がなくなっているため破壊的技術に対応することができません．このように，顧客満足度や収益性，自社の経営資源配分で合理的な意思決定をすればするほど，このジレンマにハマってしまいます．

ここで，ネット書店を例に具体的に説明します．Amazonのようなネット書店が誕生するまでは，店舗ネットワークによる伝統的な書店で本を買うことが一般的でした．初期のAmazonはテキストベースで簡単な商品説明がウエブサイトに書かれているだけで，利点は自分で重い本をもって帰らなくても済むことぐらいでした．実物を見ていないので本の内容もよく分からず，品揃えも悪く，配送に時間がかかり，送料がかかり，場合によっては本が破損している可能性もありました．既存の書店は持続的イノベーションによってサービスレベルを高めていましたが，その間に，Amazonはウエブサイトでの情報の量・質の改善（レビュー，試し読み），取り扱い出版社数の増加による品揃え強化，物流拠点の整備，送料無料，梱包方法の改善を行い，**利便性**を顧客が満足できるレベルまで上げてきました．

図10-2に示した，Amazonの元CEO Bezosが紙ナプキンに書いたAmazonの最初のビジネスモデルについて説明しておきます．**品揃え**[48]

47）持続的な技術は高機能・高性能を，破壊的技術は**利便性**・低価格を重視しています．
48）上位20％の商品が販売数量の多くを占めており，残りの80％の商品はあまり売れな

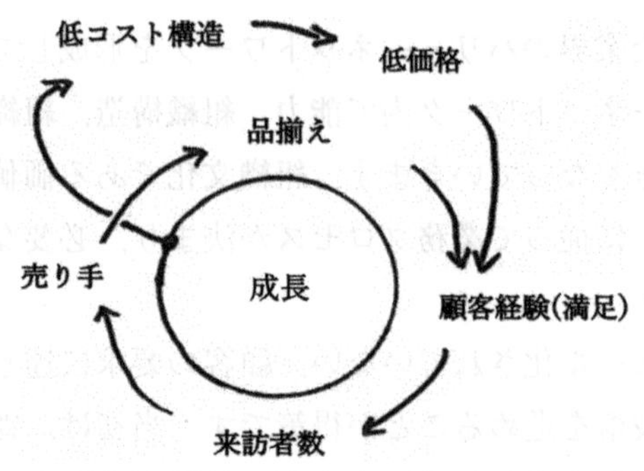

図10-2　Amazonのビジネスモデル

（出所）AmazonのHPを翻訳

を強化し**顧客経験価値**を高めれば**取引量**が増え**売り手の数**も増えるというサイクルを回すことによって**成長**できれば，規模の経済性で**低コスト構造**となり**低価格**を実現でき更に先ほどのサイクルでの**顧客経験価値**を向上させることができるのでサイクルが強化され**再成長**につながることを示しています．Amazonの破壊的技術は顧客の求めるワンクリックで購入できる**利便性**，顧客ごとの用事に対応できる**カスタマイズ性**で，顧客経験価値に合うものになっています．Amazonが成長する過程で，多くの伝統的な書店が閉店に追い込まれたことがどの国でも起こっていることはご存知だと思います．

Christensenは当初，大企業は破壊的技術に独立の小組織（スピンアウト）で対応する必要があると考えていました．その後現れた**両利きの経営**では，スピンアウトをしてしまうと既存組織の経営資源が利用できないというデメリットを指摘しています．経営者の強力なバックアップのもと，同一組織内で深化と探索の部門を維持することが重視されるようになっています．企業買収や出資で別企業のプロセスと価

いというパレートの法則がビジネスの世界で当てはまります．Amazonはネットの活用で在庫などのコストを下げることで多くの品揃えを可能にしました．残りの80%の商品からも利益を上げることができるようになっています．このようなビジネスモデルをAnderson（2006）はロングテールと言っています．

値基準を獲得することもできますが，被合併企業の成功要因が技術などの経営資源ではなくプロセスと価値基準の場合，既存企業のプロセスと価値基準に合わせて統合することは危険です．

10-3　日本の技術力の現状

日本の製造業は，製造プロセスのイノベーション（生産管理）に長けていますが，他の領域でのイノベーションは必ずしも得意ではありません．

ただし，近年の世界のイノベーションのほとんどは情報技術分野になっています．例えば，車の製造のうちソフトウェアが占める割合は40%です．2030年までには，**自動運転やコネクテッド技術**の普及によって，自動車製造の原価に占めるソフトウェアの割合は60%まで拡大すると予想されています．テスラのように，ソフトウェアを継続的にアップデートし，機能改良や機能追加を行うことが増えています．ハードウエアの精度はソフトウエアの調整によってある程度緩和できます．

それでは，なぜ日本ではイノベーションが起きにくいのでしょうか．伊丹（2009）は，以下のように述べています．

*人間社会の力学の理解を深めるためには，**自然科学から人文・社会科学へと，発想の原点・判断の原点をジャンプ**させなければならない．技術経営を必要としているイノベーションのプロセスそのものが，**人間社会の人間力学の産物**である．*

Appleの創業者スティーブ・ジョブズも以下のように述べています．

*僕は子供のころ，自分は文系だと思っていたのに，エレクトロニクスが好きになってしまった．その後，**『文系と理系の交差点に立***

てる人こそ大きな価値がある』と，僕のヒーローのひとり，ポラロイド社のエドウィン・ランドが語った話を読んで，そういう人間になろうと思ったんだ．

また，クスマノも次のように指摘しています．

*日本で企業と大学が取り組む活動は，特定の半導体機器や特定のソフトウエアだったりと，規模が小さい．日本のほとんどの大学は，**閉じられたサイロ（縦割り組織）**で活動している．学生も，電気工学部，経営学部，機械工学部など学部別の履修だ．*

やはり，狭い世界の中で自前でイノベーションを起こすには限界があります．日本の大学は学部ごとの入試を行っているところが多く，総合的発想が生まれにくい環境にあります．一方，海外では一括入学後，教養課程（1，2年次）を通して自分の研究分野を決定します．また，専攻は2つ持てるダブルメジャーも当たり前です．共同研究も文理融合が普通です．

内閣府は，2022年から，多様な知が集い，新たな価値を創出する知の活力を生む「**総合知**」を提唱するようになりました．人文社会科学系・自然科学系の枠を超えた文理融合・文理横断教育が求められるようになっています．

10-4　技術力としての特許

技術力を表すものとして特許があります．特許出願の1年6ヶ月後に公開特許公報へ全文掲載されます．これは，，他者の重複投資を防ぐために行います．そうすると，万人が模倣できるようになりますが，登録後に模倣者に保証金請求することができます．そして，出願から3年以内に出願審査請求があった場合のみ審査を行います．これは，特許を取る必要があるかわからないがとりあえず出願しておくことを防ぐためです．特許の**発明性要件**は，①自然法則の利用，②技術的思想，③創作性，④高度性です．また，**実体的登記要件**は，①新規性（公知，公用，刊行物記載，インターネットによる公衆利用可能はダメ），②進歩性，③産業上の利用可能性，④不特許事由です．保護期間は出願から20年になっています．そのため，登録までに時間がかかる場合は特許権を用いてマネタイズできる期間は限られてしまいます．

日本はDRAMメモリー，液晶パネル，太陽光パネル，カーナビ等で世界の70%以上の特許を登録していましたが，出荷して5年ぐらいで市場から撤退を余儀なくされています．当事者双方がもつ多数の特許発明の相互実施を許諾する**クロスライセンス契約**を行えば，製品の工場出荷額の数%の実施料を払うだけで他社の特許が利用できます．そのため，大量生産して市場シェアを取れれば，生産コストは下がり実施料はそれほど負担ではなくなります．圧倒的な数の特許を持っていても，優位性は僅かなコスト削減効果しかありません．そのため，国が特許取得を補助し，特許の数を増やしてクロスライセンスに持ち込む企業が増えています．

日本の特許出願数は2011年までは世界2位でしたが，それ以降，中国がアメリカを抜いて1位，アメリカが2位，日本が3位になっています．日本の特許出願数は2002年以降減少傾向が続いています．2002年はちょうど知的財産戦略大綱が出された年にあたります．特許協力条約（PCT）に基づく出願ができるようになったため，地域ごとに出願する必要がなくなりましたが，開発力よりも権利を優先するようになったことが出願数減少の原因だとの指摘もあります．

技術の一部をオープンにして自社の技術と製品を戦略的に普及させる**オープン戦略**と収益の源泉として守るべき技術領域（コア領域）を事前に決めて，自社の外へ伝搬させないようにする**クローズ戦略**を組み合わせる**オープン・クローズ戦略**をとる企業は競争優位性を維持しやすいことがわかっています．5章で説明したように，経営資源としての仕組み（ビジネスモデル構築，知的財産マネジメント）は模倣しにくいためです．

大嶋（2018）によると，Appleはコア領域（**デザイン**，ユーザーインターフェース，iOS，コンテンツ配信システム，**ブランド**）に特許を集中しています．特に，Appleは，Apple Storeの内装まで商標権出願するほどデザインそしてプラットフォームのブランドを重視しています．Google，Facebookはプラットフォームの**安全性**を重視した特許出願をしています．

10-5　日本の起業環境

日本では，現在までに四度のベンチャーブームが起こっています．

■**第一次ベンチャーブーム（1970-1973年）**：民間ベンチャー・キャピタルによってベンチャーブームが到来しました．1973年の第一次石油ショックとともにブームは終焉しました．

代表企業：日本電産・キーエンス

■**第二次ベンチャーブーム（1982-1986年）**：店頭市場の改革やインキュベーター（起業家支援）施設の整備，投資事業組合の創設によってブームが起きました．1985年のプラザ合意に伴う円高不況とともにブームは終焉しました．

代表企業：ソフトバンク・ジャストシステム

■**第三次ベンチャーブーム（1993-2006年）**：ベンチャー企業への支援策やIT企業の誕生でITバブルが発生しました．ネットバブルの崩壊や第三次起業ブームで誕生したベンチャー企業の不祥事などでブームは終焉しました．

代表企業：楽天・ライブドア・サイバーエージェント・GMO

■第四次ベンチャーブーム（2013年-現在）：コーポレートベンチャーキャピタル（事業会社がシナジー効果があるスタートアップへ投資）によってブームが到来しました．IT技術の普及，新しいビジネスモデルによって現在も第四次起業ブームは続いています．

代表企業：メルカリ

一般的に，不景気の時期に仕事がなく起業が増えると新規雇用が発生し，企業・産業の新陳代謝効果（生産性の高い企業が参入し，低い企業が退出）が促進されます．生産性の高い企業が連携しながらイノベーション（新商品・サービス）を創出すると，**内部効果**（参入増加による競争激化で既存企業の生産性が上がり，マクロの生産性が上がる）によって経済成長が起こると考えられています．また，好況の時期には将来に対する期待が楽観的になるので起業活動が活発なるとも考えられます．実際，世界の国別データでプロットすると，一人あたりの所得が2万ドルのあたりを底にU字型の操業活動率になっています．

日本の開業率は米国の約半分，イギリスの1/3の水準です．しかし，起業後の生存率は5年で見ると，日本81.7%，米国48.9%，フランス44.5%，英国42.3%，ドイツ40.2%と日本が突出して高いことがわかります[49]．これは2章で見たように生産性の低い企業が補助金等で市場から退出していないことも影響しています．

起業には同僚や仲間が起業や転職をしているかどうかが影響を及ぼすことが統計的に確認されています[50]．中小企業白書（2017）の調査では，周囲に起業家がいる，機会，起業の知識・能力・経験，**起業に関する価値観**でも日本は5カ国中で最低の値になっています．資金調達・開業に必要な時間の短縮・税制などの改善を行っても，**失敗時のリスク負担**，**雇用の流動性の低さ**，**起業家精神**が改善されない限り，起業数は大幅には増加しないでしょう．一方，IT競争力ランキングの上位

49）中小企業白書　2017年
50）Nanda, R., & Sørensen, J. B. (2010)

国・IT 先進国は環境が整っているため起業しやすい傾向にあります.

では，スタートアップ[51]で成功するためには何が重要でしょうか．Yコンビネーター（スタートアップ支援）主催者であるポール・グレアムは，スタートアップ成功の条件を，(1)優れた人たちと始めること，(2)顧客が実際に欲しがるものを作ること，(3)可能な限りわずかの金しか使わないこと，の３点だと言っています．できるだけ早く作り上げて，即刻リリースしユーザーからのフィードバックで改良する**リーンスタートアップ**を行う必要があります.

また，グレアムはスタートアップの創業者になる最適な時期は20代半ばと述べています．ただし，Azoulay (2020) は，若い経営者はリスキーな行動を取るので成長スピードが早いが雇用成長という意味での成功率は低いが，40代半ばの起業はIPO・M&Aでみると成功しやすいことを報告しています．実際に，起業時の創業者の年齢を**表10-1**に示しています．やはり，日米とも情報技術で成功した企業の起業時年齢

表10-1　日米情報系起業家の起業時年齢

日本			アメリカ		
社名	起業年	起業時年齢	社名	起業年	起業時年齢
ZOZOTOWN	1998年	23歳	Google	1998年	25歳
ソフトバンク	1981年	24歳	Apple	1977年	22歳
ライブドア	2004年	24歳	Facebook	2004年	20歳
サイバーエージェント	1998年	25歳	Amazon	1994年	30歳
サイボウズ	1997年	26歳	Microsoft	1981年	26歳
SHOWROOM	2013年	26歳	Twitter	2006年	30歳
GREE	2004年	27歳	Dropbox	2007年	19歳
カカクコム	1999年	30歳	PayPal	1998年	27歳
楽天	1997年	31歳	NVIDIA	1993年	30歳

複数の創業者の場合は若い創業者の年齢を示している

51) スタートアップは革新的なアイデアで急成長する組織を意味します．ベンチャーは，スタートアップ以外に，着実に成長を志向するスモールビジネスも含んだより広い概念です．つまり，スタートアップはベンチャーの一形態です.

は25歳前後であることがわかります．詳細には説明しませんが，ここに載せた企業のうち，日本ではほとんど文系出身者ですが，アメリカではほとんど理系出身者が占めています．この点も，日米の違いが現れているのかもしれません．

第11章
おわりに

最後に，各章の関係を説明しながら，本書をまとめておきたいと思います．

日本は1990年代のバブル崩壊以降，生産性を上げるために必要な無形資産（IT投資・組織変革・教育）投資が他国に対して不十分な状態が続いていました．また，政府は生産性の低い中小企業を延命させる政策を取っていたため，生産性が上がらないゾンビ企業が増え続けることになりました．さらに，企業活動を支える政府の情報システムは省庁・自治体ごとにバラバラに開発され情報連携が進んでいない状況が長らく続いています．

このように，生産性を上げることができない日本経済は先進国中で最も低い労働生産性となり，国際競争力の順位も右肩下がりになっています．国民も他国に比して情報共有に消極的になっていることも情報化の足枷になっています．これはセキュリティも含めた情報リテラシー教育が不十分なことも影響しています（2章）．

研究の分野では，IT投資が効果を持つためには，投資に占める組織資産（人的資本・ビジネスプロセス・組織文化）投資の割合が重要だと早くから言われてきましたが，日本では組織改革は進んでいません．日本における職務記述書と権限の曖昧さ，権限委譲が進んでいないボトムアップの意思決定は，組織の俊敏さを欠くことになり，暗黙知の活用はデジタル組織に必要なデジタル業務プロセスへの移行を遅らせます（3章）．

情報技術をうまく活用すれば，情報の非対称性を解消できます．また，情報財の出現によって企業は新たな収益源の確保を必要とするようになりました．企業規模は情報技術によって影響を受けることがわかっています．情報技術が進展すると，究極の組織形態はDAOになるかもしれません（4章）．

ただし，情報技術を導入しただけでは競争優位にはなりません．情報技術が競争優位をもたらすためには，経営戦略にあった情報戦略を立て，他社が模倣できない経営資源を組織として活用するケイパビリティを高める必要があります．また，競争優位を持続させるためには，戦略論で十分考慮されていない戦い方であるビジネスモデルを工夫する必要があります．特に，限界費用がゼロとなる情報財を活用するには，プラットフォームを用いたビジネスモデルが重要となっています（5章）．

日本の情報化がうまく機能していない理由の一つには，ユーザー企業側にIT・DX人材がいないことが挙げられます．多くの人材はITサービス企業（ベンダー）側にいます．そのため，両者の間に情報の非対称性やITケイパビリティ（組織としての能力）差が起こり，ユーザー側が望んでいるシステムが上手く開発できていないことが起こっています（6章）．

情報の非対称性やITケイパビリティ差を解消するためにも，ITサービス企業（ベンダー）側が提案する情報システムを正しく評価する方法をユーザー企業側が理解しておくことが必要です．ただし，情報システムの種類によっては財務的手法が馴染みにくいものもあります．そのため，財務だけではなく，非財務情報を用いた評価方法が必要になります．評価には多面的な視点が必要になるため，フレームワークを用いてもれなくダブりなく評価項目を抽出し，それらの重要性を重み付けして総合評価をする必要があります．また，評価項目間の関係を重視したBSCや技術受容モデルを用いた評価も重要となっています．ただし，これらは，日本ではほとんど普及していません（7，8章）．

日本は長らく同じ情報システムを保守しながら使い続けていたために，そのレガシーシステムが足かせとなって，新商品・サービスの提供を困難にしています．また，レガシーシステムは2025年以降にシステム障害を起こす可能性が高くなることが指摘されています．そのため，レガシーシステムを排除して，クラウドベースでデータの利活用ができるシステムに変革し，デジタル技術を用いて新製品・サービスをいち早く提供し競争優位を勝ち取ることが重要になっています．しかし，仕事のやり方である組織文化の変革が進まないままでデジタル変革（DX）を進めても，成果を上げることはできません．まず，組織文化を変革し，ビジョンを共有して，DX 戦略を推進していく必要があります（9章）．

日本は少子高齢化で人口減が始まっています．今後，日本経済を維持するためには，移民の受け入れでなければ，デジタル技術を使って対応していくしかありません．経済規模を守っていくためには，イノベーションは不可欠です．広い意味でのイノベーションを起こすには，情報技術がキーとなっています．今までの日本のように既存技術の改良（持続的技術，知の深化）に注力すると過剰性能になり，破壊的技術や知の探索によって負けてしまうことが起こります．

イノベーションはスタートアップで起こりやすいと言われています．スタートアップは起業の一形態です．起業に関する阻害要因は緩和されてきましたが，起業意識の醸成がカギとなっています．周りに起業経験者がいると起業しやすいことがわかっています．起業の年齢は20代半が最適だという意見もありますが，経験を積んだ40代半がよいうという分析結果もあります．様々な年代の人々が起業について意見交換できるコミュニティのような場が必要です．既存企業のDXの推進でも起業家精神が必要だと言われています．起業家精神を育む環境を整備することは，今後の日本経済の維持・発展にとって重要となっています（10章）．

参考文献一覧

AlNuaimi, B. K., Singh, K. S., Ren, S., Budhwar, P., and Vorobyev, D. (2022). Mastering digital transformation: The nexus between leadership, agility, and digital strategy, *Journal of Business Research*, 145, pp. 636–648.

Anderson, C. (2006). The Long Tail: Why the Future of Business Is Selling Less of More（篠森ゆりこ訳，2006,『ロングテール―「売れない商品」を宝の山に変える新戦略』早川書房）.

Ansoff, H. (2007). Strategic Management, Palgrave Macmillan（中村元一訳，2015,『アンゾフ戦略経営論〔新訳〕』中央経済社）.

Azoulay, P., Jones, B. F., Kim, J. D., & Miranda, J. (2020). Age and high-growth entrepreneurship, *American Economic Review: Insights*, 2 (1), pp. 65–82.

Barney, J. B. & Hesterly, W. S. (2019). Strategic Management and Competitive Advantage: Concepts（岡田正大訳，2021,『企業戦略論』ダイヤモンド社）

Bresnahan, T. F., Brynjolfsson, E. & Hitt, L. M. (2002). Information Technology, Workplace Organization, And The Demand For Skilled Labor: Firm-Level Evidence, *The Quarterly Journal of Economics*, MIT Press, vol. 117(1), pp. 339–376.

Brynjolfsson, E., & McAfee, A. (2011). Race against the machine: How the digital revolution is accelerating innovation, driving productivity, and irreversibly transforming employment and the economy（村井章子訳，2013,『機械との競争』日経BP）.

Brynjolfsson, E. (2004). Computers, Productivity and the Digital Organization,（CSK訳，2004,『インタンジブル・アセット―「IT投資と生産性」相関の原理』，ダイヤモンド社）.

Christensen, C. M. (1997). The Innovator's Dilemma: When New Technologies Cause Great Firms to Fail, Harvard Business Review Press（伊豆原弓訳，2001,『イノベーションのジレンマ 増補改訂版』翔泳社）.

Cusumano, M. A. (2004) The Business of Software: What Every Manager, Programmer, and Entrepreneur Must Know to Thrive and Survive in Good Times and Bad, Free Press（サイコムインターナショナル訳，『ソフトウエア企業の競争戦略』，ダイヤモンド社）.

Davis, F. D., Bagozzi, R. P., & Warshaw, P. R. (1989). User Acceptance of Computer Technology: A Comparison of Two Theoretical Models, *Management Science* 35(8), pp. 982–1002.

Delone, W. H., & McLean, E. R. (2003). The DeLone and McLean model of information systems success: a ten-year update. *Journal of management information systems* 19(4), pp. 9-30.

Drucker, P. F. (2009). Innovation and Entrepreneurship, Harper Collins e-books (上田淳生訳, 2007, 『イノベーションと企業家精神』ダイヤモンド社).

Edmondson, A. C. (2018). The Fearless Organization: Creating Psychological Safety in the Workplace for Learning, Innovation, and Growth, Wiley (野津智子訳, 2021, 『恐れのない組織―「心理的安全性」が学習・イノベーション・成長をもたらす』英治出版).

Eloundou, T., Manning, S., Mishkin, P., & Rock, D. (2023). Gpts are gpts: An early look at the labor market impact potential of large language models. *arXiv preprint arXiv* 2303.10130.

Fishbein, M. (Ed.). (1967). Readings in attitude theory and measurement. Wiley.

Frey, C. B., & Osborne, M. (2013). The future of employment.

Fukao, K., & Kwon, H. U. (2006). Why did Japan's TFP growth slow down in the lost decade? An empirical analysis based on firm-level data of manufacturing firms. *The Japanese Economic Review*, 57, pp. 195-228.

Gassmann, O. Csik, M. & Frankenberger, K. (2014) The Business Model Navigator: 55 Models That Will Revolutionise Your Business, FT Press (渡邊哲・森田寿訳, 2016, 『ビジネスモデル・ナビゲーター』翔泳社).

Haskel, J. & Westlake, S. (2017). Capitalism without Capital: The Rise of the Intangible Economy, Princeton University Press (山形浩生訳, 2020, 『無形資産が経済を支配する：資本のない資本主義の正体』東洋経済新報社).

Hofstede, G. H., Hofstede, G. J. & Minkov, M. (2013). Cultures and organizations: software of the mind: intercultural cooperation and its importance for survival (岩井八郎・岩井 紀子訳, 2013, 『多文化世界―違いを学び未来への道を探る』有斐閣).

Hyun, Y., Hosoya, R., & Kamioka, T. (2019). The Moderating Role of Democratization Culture: Improving Agility through the Use of Big Data Analytics, *PACIS 2019 Proceedings*.

Isaacson, W. (2011). Steve Jobs: The Exclusive Biography, Little, Brown Book Group (井口耕二訳, 2011, 『スティーブ・ジョブズ』講談社).

Johnson, M. W. (2010). Seizing the White Space: Business Model Innovation for Growth and Renewal, Harvard Business Review Press (池村千秋訳, 2011,

『ホワイトスペース戦略 ビジネスモデルの<空白>をねらえ』CCC メディアハウス).

Kahneman, D. (2011). Thinking Fast and Slow (村井章子訳, 2012, 『ファスト&スロー』早川書房).

Kahneman, D., Sibony, O. & Sunstein, C. R. (2021). Noise: A Flaw in Human Judgment (村井章子訳, 2021, 『NOISE 組織はなぜ判断を誤るのか?』早川書房).

Kane, G., Phillips, A., Copulsky, J., & Andrus, G. (2022). The Technology Fallacy, The MIT Press.

Kotter, J. P. (2012). Leading Change (梅津祐良訳, 2002, 『企業変革力』日経BP).

Kotter, J. P. (2021). Change: How Organizations Achieve Hard-to-Imagine Results in Uncertain and Volatile Times, Wiley (池村千秋訳, 2022, 『CHANGE 組織はなぜ変われないのか』ダイヤモンド社).

Magretta, J. (2011). Understanding Michael Porter: The Essential Guide to Competition and Strategy (櫻井 祐子訳, 2012, 『マイケル・ポーターの競争戦略』早川書房).

McAfee, A. & Brynjolfsson, E. (2017). Machine, Platform, Crowd: Harnessing Our Digital Future, W. W. Norton & Company (村井章子訳, 2018, 『プラットフォームの経済学　機械は人と企業の未来をどう変える?』日経BP).

McKinsey & Company Inc., Tim Koller, et al. (2022). Valuation: Measuring and Managing the Value of Companies, Wiley (マッキンゼー・コーポレート・ファイナンス・グループ訳, 2022, 『企業価値評価 第7版―バリュエーションの理論と実践』ダイヤモンド社).

Melina, G., Panton, A. J., Pizzinelli, C., Rockall, E., & Tavares, M. M. (2024). Gen-AI: Artificial Intelligence and the Future of Work.

Mendelson, H. & Ziegler, J. (2000). Survival of the Smartes (校条 浩訳, 2000, 『スマート・カンパニー―e ビジネス時代の覇者の条件』ダイヤモンド社).

Meyer, E. (2014). The Culture Map: Breaking Through the Invisible Boundaries of Global Business, Public Affairs (田岡恵・樋口武志訳, 2015, 『異文化理解力 相手と自分の真意がわかる ビジネスパーソン必須の教養』英治出版).

Milgrom, P. & Roberts, J. (1992). Economics, Organization and Management, Prentice Hall (奥野正寛ほか訳, 1997, 『組織の経済学』NTT 出版).

Moazed, A. & Johnson, N. L. (2016). Modern Monopolies: What It Takes to Dominate the 21st-Century Economy, St Martins Pr (藤原朝子訳, 2018, 『プ

ラットフォーム革命━━経済を支配するビジネスモデルはどう機能し，どう作られるのか』英治出版).

Nanda, R., & Sørensen, J. B. (2010). Workplace peers and entrepreneurship. *Management science, 56*(7), pp. 1116-1126.

O'Reilly, C. A. & Tushman, M. L. (2008). Ambidexterity as a dynamic capability: Resolving the innovator's dilemma. *Research in Organizational Behavior*, 28, pp. 185-206.

O'Reilly, C. A. and Tushman, M. L. (2021). Lead and Disrupt: How to Solve the Innovator's Dilemma（渡部典子訳，2022，『両利きの経営━━「二兎を追う」戦略が未来を切り拓く』東洋経済新報社).

Osterwalder, A. & Pigneur, Y. (2010). Business Model Generation: A Handbook for Visionaries, Game Changers, and Challengers, Wiley（小山龍介訳，2012，『ビジネスモデル・ジェネレーション　ビジネスモデル設計書』翔泳社).

Rogers, D. L. (2016). The Digital Transformation Playbook: Rethink Your Business for the Digital Age, Columbia Business School Publishing（笠原英一訳，2021，『DX 戦略立案書』白桃書房).

Rogers, D. L. (2023). The Digital Transformation Roadmap: Rebuild Your Organization for Continuous Change, Columbia Business School Publishing.

Schein, E. H. & Schein, P. A. (2019). Corporate Culture Survival Guide, Wiley（尾川丈一・松本 美央訳，2016，『企業文化 改訂版：ダイバーシティと文化の仕組み』白桃書房).

Schumpeter, J. A. (1934). The Theory of Economic Development: An Inquiry into Profits, Capital, Credit, Interest, and the Business Cycle, Harvard University Press（塩野谷祐一ほか訳，1977，『経済発展の理論』岩波文庫).

Shapiro, C. & Varian, H. R. (1998). Information Rules: A Strategic Guide to the Network Econom, Harvard Business Review Press（大野一訳，2018，『情報経済の鉄則　ネットワーク型経済を生き抜くための戦略ガイド』日経BP).

Simon, H. A. (1983). Reason in Human Affairs, Blackwell Publishers（佐々木恒男・吉原正彦訳，2016，『意思決定と合理性』ちくま学芸文庫).

Stross, R. (2012). The Launch Pad: Inside Y Combinator, Portfolio（滑川海彦ほか訳，2013，『Y コンビネーター』日経BP).

Sutherland, J. & Schwaber, K. (2007). Scrum Papers: Nuts, Bolts, and Origins of an Agile Process.

Takeuchi, H. & Nonaka, I. (1986). The New New Product Development of

Game,, *Harvard Business Review* 64, pp. 137-146.

Venkatesh, V., Morris, M. G., Davis, G. B., & Davis, F. D. (2003). User acceptance of information technology: Toward a unified view. *MIS quarterly*, pp. 425-478.

Vial, G. (2019). Understanding digital transformation: A review and a research agenda. *The journal of strategic information systems*, 28(2), pp. 118-144.

Warner, K. S., & Wäger, M. (2019). Building dynamic capabilities for digital transformation: An ongoing process of strategic renewal, *Long Range Planning* 52(3), pp. 326-349.

Watanabe, S. (2022). Verification of DX driving factors－Analysis based on web survey－, *Annual Conference of Japan Society for Management Information 2022 Proceedings.*

Watanabe, S. (2023). Causal Discovery for Digital Transformation-Analysis based on web survey-. *Annual Conference of Japan Society for Management Information 2023 Proceedings.*

Yourdon, E. (2003). Death March 2 nd edition, Prentice Hall(松原友夫・山浦恒央訳, 2006,『デスマーチ―なぜソフトウエア・プロジェクトは混乱するのか』日経BP).

クスマノ, マイケル A. (2019).「イノベーションに必要な条件　日本企業に足りないもの」日経ビジネス　7/1　7/15　7/22　7/29.

ヨフィー, デビット (2019a).「プラットフォーマーの生存条件　マイクロソフトが勝てない理由」日経ビジネス10/28　PP. 90-91.

ヨフィー, デビット (2019a).「プラットフォーマーの選択『お金を払うのは誰か』見極める」日経ビジネス11/4　PP. 82-82.

青島矢一・加藤俊彦 (2012).『競争戦略論』東洋経済新報社.

伊丹敬之 (2009).『イノベーションを興す』日本経済新聞出版社.

伊藤隆敏・星岳雄 (2023).『日本経済論』東洋経済新報社.

井上雅裕・陳新開・長谷川浩志 (2011).『システム工学―問題発見・解決の方法―』オーム社

井上雅裕・陳新開・長谷川浩志 (2013).『システム工学―定量的な意思決定法―』

井上達彦・中川功一・川瀬真紀 (2019).『経営戦略』中央経済社.

今枝昌宏 (2014).『ビジネスモデルの教科書―経営戦略を見る目と考える力を養

う』東洋経済新報社.
入山章栄（2019).『世界標準の経営理論』ダイヤモンド社.
栄前田勝太郎・竹田哲也・宮木俊明（2020)『ビジネスフレームワーク実践ブック』MdN.
英繁雄（2017).『IT プロジェクトのトラブルを回避する揉め事なしのソフトウエア開発契約』日経 BP.
遠藤功（2022).『「カルチャー」を経営のど真ん中に据える―「現場からの風土改革」で組織を再生させる処方箋』東洋経済新報社.
大嶋洋一（2018).『GAFA 知財戦略』GPIC 6 th Symposium Digest Report.
大和田崇（2007).『IT 投資の評価手法―コストと効果を定量的に分析・管理する』中央経済社
岡部曜子（2020).『経営情報論の展開　組織論との関連性を中心に』京都マネジメント・レビュー36　pp. 65-75.
加藤雅俊（2022).『スタートアップの経済学　新しい企業の誕生と成長プロセスを学ぶ』有斐閣.
加藤雅則，チャールズ・A・オライリー（2020).『両利きの組織をつくる―大企業病を打破する「攻めと守りの経営」』英治出版.
加藤敦（2007).『リアルオプションとIT ビジネス―基礎理論とケーススタディ』エコノミスト社.
亀井聡彦・鈴木雄大・赤澤直樹（2022).『Web3 と DAO 誰もが主役になれる「新しい経済」』かんき出版.
狩野紀昭・瀬楽信彦・高橋文夫・辻新一（1984).「魅力的品質と当り前品質」品質14（2) pp. 147-156.
神取道宏（2014).『ミクロ経済学の力』日本評論社.
岸眞理子・佐藤亮（2023).『経営情報学入門〔新訂〕』放送大学教育振興会.
木嶋恭一・岸眞理子（2023).『経営情報学：理論と現象をつなぐ論理』有斐閣.
北尾信夫（2011).『わが国企業における投資意思決定の実証研究：DCF 法の普及とコーポレートガバナンスの変化』神戸大学経営学博士論文.
工藤秀憲（2006).『情報処理システム開発の改革！―情報処理システム開発の失敗撲滅に向けての取り組み・ユーザーとベンダー双方が認識し実行すべきこと』ブイツーソリューション.
國重靖子（2020).『IT 投資の評価手法と効果がしっかりわかる教科書』技術評論社.
黒須正明（2013).『人間中心設計の基礎』(HCD ライブラリー（第1巻)）近代科

学社
経済産業省・九州経済産業局（2020）「ベンチャー企業 成功要因分析調査」.
高度情報通信ネットワーク社会推進戦略本部（IT 戦略本部）（2013）.「世界最先端 IT 国家創造宣言」
小島健志・孫泰蔵（2018）.『ブロックチェーン，AI で先を行くエストニアで見つけた つまらなくない未来』ダイヤモンド社.
篠崎彰彦（2014）.『インフォメーション・エコノミー』NTT 出版.
島田裕次（2015）.『よくわかるシステム監査の実務解説（改訂版）』同文舘出版
情報処理推進機構（2023）.『DX 白書』独立行政法人情報処理推進機構.
情報処理推進機構ソフトウェアエンジニアリングセンター（2006）.『ソフトウェア開発見積りガイドブック』オーム社.
総務省（2013）.「ICT 基盤・サービスの高度化に伴う新たな課題に関する調査研究」.
総務省（2018）.「我が国の ICT の現状に関する調査研究」
総務省（2019）.『令和 1 年情報通信白書』
総務省（2021a）.『令和 3 年情報通信白書』
総務省（2021b）.「ウイズコロナにおけるデジタル活用の実態と利用者意識の変化に関する調査研究」.
田辺孝二（2012）.「情報化先進国としてのシンガポール」情報管理　55.9　pp. 621-628.
玉田俊平太（2020）.『日本のイノベーションのジレンマ　第 2 版　破壊的イノベーターになるための 7 つのステップ』翔泳社.
丹羽清（2010）.『イノベーション実践論』東京大学出版会.
東京工業大学エンジニアリングデザインプロジェクト，齊藤滋規，坂本啓，竹田陽子，角征典（2017）.『エンジニアのためのデザイン思考入門』翔泳社.
新原浩朗（2023）.『組織の経済学のフロンティアと日本の企業組織』日経 BP 日本経済新聞出版.
日本情報システム・ユーザー協会（20215，2019，2022，2023）.『企業 IT 動向調査報』.
日本情報システム・ユーザー協会（2006）.『ソフトウェアメトリックス調査2006』.
日本情報システム・ユーザー協会（2020）「IT 運用コストメトリックス調査2020」.
野中誠（2020）.「『DX 推進指標』の構造的側面に関わる妥当性評価」経営情報学会予稿集.
萩谷昌己（2014）.「情報学を定義する — 情報学分野の参照基準」情報処理　Vol.

55　No. 7　July.
初田賢司（2015).『ユーザーのためのシステム開発の見積もり評価』日経BP社.
服部泰宏（2020).『組織行動論の考え方・使い方』有斐閣.
平鍋健児・野中郁次郎・及部敬雄（2021).『アジャイル開発とスクラム　第2版　顧客・技術・経営をつなぐ協調的ソフトウェア開発マネジメント』翔泳社.
平野雅章（2007).『IT投資で伸びる会社，沈む会社』日本経済新聞出版.
深尾京司（2007).「日米の無形資産」独立行政法人経済産業研究所.
牧兼充（2022).『イノベーターのためのサイエンスとテクノロジーの経営学』東洋経済新報社.
松島桂樹（1999).『戦略的IT投資マネジメント―情報システム投資の経済性評価』白桃書房.
松島桂樹（2007).『IT投資マネジメントの発展―IT投資効果の最大化を目指して』白桃書房.
松島桂樹（2013).『IT投資マネジメントの変革』白桃書房.
三谷宏治（2013).『経営戦略全史』ディスカヴァー・トゥエンティワン.
三谷宏治（2014).『ビジネスモデル全史』ディスカヴァー・トゥエンティワン.
三谷宏治（2019).『新しい経営学』ディスカヴァー・トゥエンティワン.
宮森千嘉子・宮林隆吉（2019).『経営戦略としての異文化適応力　ホフステードの6次元モデル実践的活用法』日本能率協会マネジメントセンター.
元橋一之（2005).『ITイノベーションの実証分析』東洋経済新報社.
元橋一之（2008).「ITと生産性に関する実証分析：マクロ・ミクロ両面からの日米比較」RIETI Policy Discussion Paper Series 10-P-008
矢野和男（2018).『データの見えざる手：ウエアラブルセンサが明かす人間・組織・社会の法則』草思社.
山口高弘（2019).『いちばんやさしいビジネスモデルの教本　人気講師が教える利益を生み出す仕組みの作り方』インプレス.
淀川高喜（2013).『実践IT戦略論』日経BP.
廉宗淳（2009).『行政改革を導く電子政府・電子自治体への戦略―住民視点のIT行政の実現に向けて“韓国と日本”』時事通信出版局.
鷲崎弘宣他（2010).「ソースコード静的検証によるソフトウエア品質評価の意義」日経エレクトロニクスpp. 105-120.
渡邊真治（2021).「技術受容モデルの系譜と重要要因：モバイル決済研究を用いて」大阪府立大学紀要（人文・社会科学)，69，pp. 97-119.
渡邊真治（2021).「DX推進要因の検証　―統合報告書に基づく分析―」経営

情報学会全国大会予稿集.

[サイト情報]

IMD (2023) The IMD World Competitiveness Ranking 世界競争力ランキング
https://worldcompetitiveness.imd.org/rankings/WCY
IT 人材育成本部 (2017)『IT 人材白書2017』情報処理推進機構.
JEITA (2013)「IT を活用した経営に対する日米企業の相違分析」.
ダボス会議 (外務省 H.P.) https://www.mofa.go.jp/mofaj/gaiko/davos/index.html
デジタル庁 (2020)「世界最先端デジタル国家創造宣言・官民データ活用推進基本計画」
ネットワーク成熟度指数ランキング (The Networked Readiness Index)
https://networkreadinessindex.org/
パシフィックコンサルタンツ株式会社 (2003)「社会基盤投資における多基準分析手法に関する調査」国土交通省・重点的・効率的基盤投資推進調査.
https://www.mlit.go.jp/kokudokeikaku/kibantoushi/
前野隆司 (2020)「『自分は不幸』と思う日本人がやたら多い不思議」東洋経済 ONLINE
https://toyokeizai.net/articles/-/353274

著者略歴

渡邊　真治（わたなべ　しんじ）

愛媛県今治市生まれ
愛媛県立今治西高等学校卒業
神戸大学 博士（経済学）

大阪公立大学・情報学研究科・教授
技術士（経営工学：数理・情報）
中小企業診断士　システム監査技術者
情報処理安全確保支援士合格など

主　著
『金融業の情報化と組織に関する経済分析』多賀出版（2009年03月）
『ネットワーク時代の経済分析入門（改訂版）』法律文化社（2008年03月）
『ソシオネットワーク戦略とは何か』多賀出版（2006年03月）
Economic Analysis of Information System Investment in Banking Industry Springer-Verlag（2005年03月）
『銀行業における情報システム投資の経済分析』多賀出版（2002年12月）
『環境問題とは何か』晃洋書房（1999年04月）など

金融機関・地方自治体・DXに関するシステム評価などの研究論文を多数発表.

大阪公立大学出版会（OMUP）とは
本出版会は，大阪の５公立大学−大阪市立大学，大阪府立大学，大阪女子大学，大阪府立看護大学，大阪府立看護大学医療技術短期大学部−の教授を中心に2001年に設立された大阪公立大学共同出版会を母体としています．2005年に大阪府立の４大学が統合されたことにより，公立大学は大阪府立大学と大阪市立大学のみになり，2022年にその両大学が統合され，大阪公立大学となりました．これを機に，本出版会は大阪公立大学出版会（Osaka Metropolitan University Press「略称：OMUP」）と名称を改め，現在に至っています．なお，本出版会は，2006年から特定非営利活動法人（NPO）として活動しています．

About Osaka Metropolitan University Press (OMUP)
Osaka Metropolitan University Press was originally named Osaka Municipal Universities Press and was founded in 2001 by professors from Osaka City University, Osaka Prefecture University, Osaka Women's University, Osaka Prefectural College of Nursing, and Osaka Prefectural Medical Technology College. Four of these universities later merged in 2005, and a further merger with Osaka City University in 2022 resulted in the newly-established Osaka Metropolitan University. On this occasion, Osaka Municipal Universities Press was renamed to Osaka Metropolitan University Press (OMUP). OMUP has been recognized as a Non-Profit Organization (NPO) since 2006.

OMUPユニヴァテキストシリーズ ⑨
情報技術と企業活動

2024年３月25日　初版第１刷発行

著　者　渡邊　真治
発行者　八木　孝司
発行所　大阪公立大学出版会（OMUP）
〒599-8531 大阪府堺市中区学園町1-1
大阪公立大学内
TEL　072(251)6533
FAX　072(254)9539
印刷所　株式会社 遊 文 舎

ISBN 978-4-909933-66-9